D0328454

Du même auteur

Comment s'aimer toujours, Leduc.s Éditions, 2006.
Comment plaire en 3 minutes, Leduc.s Éditions, 2005.
Être la fille de sa mère et ne plus en souffrir, Marabout, 2002.
Ces amours qui nous font mal, Marabout, 2001.

Pour joindre l'auteur :
patricia.delahaie@laposte.net

17, rue du Regard
75006 Paris – France
E-mail : info@editionsleduc.com
ISBN : 978-2-84899-402-4

PATRICIA DELAHAIE

COMMENT GUÉRIR DU MAL D'AMOUR

À Hubert, un homme qui sait aimer.
À Vincent et Sébastien mes merveilles.
Pour Alix avec toute ma tendresse.

Remerciements

Un merci tout particulier à Anne-Sophie Alaphilippe toujours précieuse pour son aide et son soutien, à Bénédicte fondatrice et animatrice du Café de l'amour à Paris, à Sophie Cadalen et au Pr. Catherine Jousselme psychanalystes, au Dr Gérard Leleu sexologue, à Florence Enhuel auteur de *L'amour conjugué*, à Marina Marcout journaliste.

Merci également à tous ceux qui ont bien voulu partager leur expérience de la rupture et... de la reconstruction, et particulièrement à Agnès D., Jean-Guy, Louis C., Isabelle Z., Nadia, Thierry, Joëlle, Véronique, Nathalie, Cristof et Régis, blogueur sur le site aufeminin.com.

Sommaire

Introduction

Sur le moment, on pense qu'on va en mourir ou en tout cas qu'on ne s'en remettra jamais. Et puis non… Quelques mois, quelques années plus tard, on se rappelle avoir souffert « à en crever » disent certains, mais la douleur est devenue une sorte d'abstraction. Il nous en reste quelques images mais le mal est parti.

On peut même revoir ces « Chéris » qui nous laissaient transis d'amour, faisaient vibrer nos sens, nos émotions et s'étonner de ne plus ressentir que de l'indifférence en les voyant si « quelconques » finalement. Parfois, on éprouve même un léger dégoût : « J'ai du mal à l'embrasser sur la joue… »

Alors, oui, bien sûr que l'on guérit du mal d'amour et qu'il est possible ensuite de retomber très amoureux et pour longtemps. Mais pour l'heure, cette rupture nous déchire. Quand l'amour se retire la douleur est à la mesure des délices passées : hors du commun, surprenante, parfois insupportable. Il faut dire qu'à tort ou à raison, cet homme, cette femme était « toute notre vie ». Sans sa présence, cette énergie qui nous donnait des ailes s'éteint par la force des choses. L'amour augmentait l'instinct de vie. Mais aujourd'hui continuer pour qui, pour quoi ? C'est surtout l'énergie qui nous manque : arrivera-t-on à remonter la pente ?

Les séparations en pente douce…

Heureusement, toutes les séparations ne sont pas des déchirements. Certaines sont si douces qu'on les sent à peine passer. « De vingt à trente-quatre ans, j'ai vécu une très jolie histoire. Ce fut une belle rupture parce qu'elle a eu lieu dans les deux sens à deux mois d'intervalle. Ce n'était pas de l'amour, c'était une relation fraternelle qui a pu sans douleur se muer en amitié. C'était de la complicité, de la confiance que l'on prend pour de l'amour. Il y a du sevrage bien sûr mais comme on passe d'une chose à l'autre sans véritable regret. Quand elle a trouvé quelqu'un, je n'ai pas été jaloux. J'ai été content pour elle et quand elle a attendu un bébé, j'ai demandé à être le parrain. Comme une sorte d'aboutissement logique », raconte Karim. Même tranquillité pour Béatrice : « Quand mon mari m'a annoncé qu'il avait rencontré quelqu'un d'autre, que nous allions nous séparer, j'ai murmuré un “oui” comme on pousse un soupir de soulagement. Enfin ! L'un des deux avait le courage de nous libérer. » Douces encore sont les séparations quand les chemins ont tant bifurqué que les seuls points communs encore vaillants sont un toit, un compte en banque, des enfants. On fait des efforts pour s'intéresser à la bulle de l'autre mais la curiosité n'y est plus. On s'estime. On s'épaule en attendant que les enfants s'envolent pour prendre le large.

Jacky est un pianiste de jazz recyclé dans la chanson pour enfants qui lui fait un triomphe. Marie, sa femme depuis vingt ans, n'a jamais assisté à l'un de ses concerts. « Manque de temps », prétend-elle. Il faut dire qu'elle est médecin hospitalier avec des responsabilités syndicales et humanitaires et qu'elle suit de près l'évolution de leurs trois filles adolescentes. Son mari est la dernière roue de son carrosse… Quand ils se quitteront – car ils le feront –, ils seront tristes sans doute mais pas malheureux. Ils continueront à se voir, à passer Noël en famille, à se téléphoner à propos des filles, à préparer ensemble les mariages et à avoir des petits-enfants. Voilà si longtemps qu'ils sont compagnons de route que la séparation sera une sorte de changement dans la continuité sans drames ni larmes. Ils garderont de bons souvenirs, une habitude d'entraide. Ils auront construit ensemble et en resteront fiers. C'est la relation à deux qui se sera usée dans une vie mangeuse de temps, une vie « chronophage ». Ce ne sera pas un échec, non, juste la tristesse de se dire qu'ils ne vieilliront pas ensemble… Car le couple immuable qui traverse les années main dans la main, jusqu'au dernier instant, reste un mythe, un modèle convoité qui nous attendrit tous.

On pourrait développer encore toutes ces situations de séparations sans douleur, mais voyons plutôt – puisque tel est notre sujet – celles qui demandent des semaines, des mois, des années pour nous remettre d'aplomb, comme après une longue maladie. Une maladie d'amour…

Qu'est-ce qui nous guérit ? Le temps est la réponse que la cinquantaine de personnes interrogées pour ce livre, donne en premier. Avec le temps, va tout s'en va… même le chagrin, même le souvenir. Puis ils ont dit avoir trouvé dans l'action un remède : elle distrait de sa peine, regonfle une image de soi mal en point et permet de constater que l'on survit à la perte de cet amour que l'on croyait si « grand ». Si la rupture présente un bénéfice secondaire (dont on se passerait volontiers) c'est de nous offrir l'indépendance. On pensait ne jamais pouvoir vivre seul, sans elle, sans lui… Eh bien, non seulement on y arrive mais parfois c'est joyeux, même si rencontrer l'amour, le vrai cette fois – celui qui fait du bien –, reste le rêve que nous caressons tous… Vu ainsi, guérir du mal d'amour apparaît comme une sorte de voyage initiatique long, douloureux mais ô combien enrichissant quand on a la force, le courage, la patience d'en traverser toutes les étapes…

Combien de temps pour s'en remettre ?

Des spécialistes apportent des réponses. Certains disent un an comme pour un deuil. D'autres cinq ans, le temps de se résoudre à cette séparation, puis de cicatriser, puis de se relancer dans la vie… Heureusement, les sentiments ne sont pas une science exacte. Et puis « faire son deuil », quelle expression ! Une rupture est à la fois bien moins grave – puisque personne n'est mort – mais bien plus douloureuse justement parce que nos (ex) amoureux sont bien vivants, mangent, dorment, s'amusent, aiment un autre corps comme ils aimaient le nôtre… Quelle souffrance ! De plus, la distance imposée n'est pas le fruit de la « force des choses » mais le résultat d'un abandon voulu, d'un rejet : on ne veut plus de nous ; ce n'est plus comme avant.

Certains dont vous lirez l'histoire pensaient sincèrement que leur amour étant fini, leur vie l'était aussi. Qu'ils n'arriveraient jamais à refaire surface, encore moins à aimer vraiment une nouvelle fois – quant à être aimés… n'en parlons même pas ! – et quelques mois plus tard, non seulement ils étaient passés à autre chose mais un miracle s'était produit, une rencontre improbable et un bonheur qu'ils n'auraient jamais cru possible. En tout cas, pas si tôt.

D'autres claironnaient « même pas mal ! » tout étonnés de ne pas « souffrir tant que ça ». Au début, ils se sont même sentis « plutôt libérés » car il existe un mythe de la rupture « libératrice », qui « rendrait à soi-même ». D'ailleurs aujourd'hui, ne dit-on pas « libre » plutôt que « célibataire » ? Et puis l'histoire devenait pesante, trop conflictuelle… Des amis les prévenaient : « Tu ne ressens rien ; tu es trop joyeuse ; attention, tu vas morfler. » Et en effet, une fois leur travail très urgent terminé, à l'occasion d'une autre rupture – a priori moins importante –, face à la perte d'un parent ou devant le vide des vacances, leur cœur s'est brutalement brisé.

À propos de ce temps nécessaire à la guérison, impossible de se prononcer sur sa durée. En revanche, si l'on ne sent aucun progrès, si la tristesse, l'obsession sont intactes, si le temps précisément ne fait rien à la peine, c'est qu'un problème psychologique vient se greffer sur la blessure d'amour et qu'il faut en parler à son généraliste, à un psy qui saura aider à débloquer ce rouage grippé, à repartir dans le sens de la vie.

Autre question : à quoi allons-nous occuper ce « temps » du mal d'amour ? Certains n'en font rien. Ils attendent que ça « cicatrise » tout seul. Ils serrent les dents, s'agitent, survivent « déconnent d'une manière ou d'une autre » (ce sont leurs propres mots) en noyant leur chagrin dans l'alcool, sur Meetic ou bien ils se roulent en boule dans leur lit pour se protéger comme on hiberne en attendant des jours meilleurs, ou bien encore ils comptent sur les antidépresseurs pour atténuer la douleur. Autant de méthodes qui peuvent être efficaces à court terme, le temps de la phase aiguë. Mais ensuite, la seule solution – pour ne pas retomber dans les mêmes histoires difficiles, sur les mêmes relations décevantes ou pour ne pas avoir de regrets – consiste à se retrousser les manches afin de comprendre ce qui est arrivé. Afin de devenir un amoureux moins romantique, moins rêveur, moins naïf, plus averti. Afin, surtout, de ne plus « tout donner » à un homme ou une femme, parce que c'est trop, parce que l'amour n'en demande pas tant. Au contraire, en amour comme ailleurs, l'excès peut faire fuir… Bref, il s'agit de s'appuyer sur cette épreuve si dure pour se connaître mieux voire se repositionner autrement dans la vie et dans l'amour. Alors, on peut vraiment parler de reconstruction…

Coup dur ou coup de chance ?

Par quelles phases passent ces énergiques, ces courageux, ces volontaires qui décident de faire face ? Par les cinq étapes dont nous parlerons dans ce livre. Au début, la souffrance d'un écorché vif, puis de la peur : celle de l'inconnu principalement. Cette phase – la plus pénible – passée, vient l'heure des bilans au cours de laquelle on cherche à comprendre à qui, à quoi la faute ?

À personne peut-être à moins que… C'est la troisième étape. Quand on a vraiment répondu à cette question, alors on se sent en paix car la voie à suivre se dégage d'elle-même. Il y a des erreurs que nous ne commettrons plus, des partenaires que nous ne choisirons plus, des dépendances que nous ne vivrons plus. Le mythe de l'amour avec un grand A, de l'âme sœur, de la moitié d'orange a la peau dure. On peut rester longtemps dans l'illusion que cette personne « était la bonne » (en oubliant que cette rupture elle-même prouve que ce n'était pas le cas). Mais voici la quatrième étape. À notre tour nous quittons. À notre tour, nous n'aimons plus. Oui, nous pouvons tourner la page…

Reste le plus délicat : croire en soi et croire en l'amour quand on nous a blessé, trahi, humilié, abandonné… Comme si nous n'avions qu'une seule grande et belle histoire à vivre. Heureusement, la réalité amoureuse nous détrompe sans cesse. Nous vivons une époque difficile sur le plan affectif. Un divorce sur deux dans les grandes agglomérations, un sur trois dans les petites. Quatre partenaires en moyenne pour les femmes (donc trois ruptures au moins) onze pour les hommes (donc dix ruptures au moins), notre vie amoureuse est loin d'être un long fleuve tranquille… Néanmoins, notre époque a ceci d'extraordinaire qu'elle nous offre à tout âge la possibilité de rencontrer quelqu'un. Pour le prouver, j'ai des dizaines d'histoires à vous raconter. Vous en lirez ici quelques-unes. Toutes commençaient par : « Je désespérais d'aimer quand… » Et si, au-delà de cette rupture se profilait l'évidence d'aimer et d'être aimé ? Bien sûr, vous n'y croyez pas. Il est encore trop tôt. Mais j'espère qu'en refermant ce livre, vous aurez changé d'avis.

Première partie

Le temps des souffrances

Y A-T-IL UNE BONNE MANIÈRE de se quitter quand on s'est choyés, câlinés, confiés, désirés ? À en croire ceux qui l'ont vécu, la souffrance est inévitable. Bien moins forte pour ceux qui s'en vont (encore que…) mais tout de même présente. Et forcément douloureuse pour ceux qui sont quittés, bien que l'intensité et la durée varient selon les circonstances de la rupture, les explications qu'on nous donne, selon les blessures d'amour et blessures d'enfance qu'elle réveille ou pas. Variable aussi en fonction des espoirs mis dans cette relation que nous pensions « éternelle » ou que nous savions – dès le départ – limitée dans le temps… Toute la difficulté dans cette période si pénible est de ne pas ajouter du malheur au malheur d'avoir perdu celle ou celui que nous aimions. En effet, on a souvent tendance à en rajouter dans l'accablement de soi. On s'accuse d'avoir (encore !) échoué. D'être incapable de garder quelqu'un, de ne pas être aimable, d'avoir « la loose » comme dira Isabelle. Certes, la confiance en soi est mise à rude épreuve. Parfois, les mots sont si durs qu'on les prend au pied de la lettre. Et nous verrons qu'il faut bien que l'autre nous dénigre ou nous néglige – au moins en pensée – pour pouvoir nous quitter. Comment continuer de se trouver aimable, désirable, estimable quand l'autre décide : « Je ne veux plus t'aimer ! » Car c'est bien ce qu'annonce le redoutable : « C'est fini ! » Pour supporter (et limiter) ce temps des souffrances, évitons en priorité toutes ces ruminations qui creusent la plaie. Ne croyons pas non plus les reniements qui accompagnent nécessairement la fin d'une histoire. Bref, il va falloir trouver l'énergie de lutter moins contre la souffrance que POUR nous-mêmes, en apprenant à nous faire du bien et en cultivant à notre égard des sentiments de compréhension et de bienveillance… Pour certains, c'est tout un programme !

1

Pourquoi ça fait si mal

PARCE QUE CE N'EST PLUS « comme avant ». Avant, il y avait du désir, des sentiments, du partage, une complicité, une intimité et même si le meilleur s'est distendu, il restait une vie à deux, une présence, des intérêts communs pour les enfants, les amis, les vacances. Et maintenant ? Maintenant, c'est fini. Tout ce qui a fait notre bonheur – ou même simplement notre confort de vie –, tout ce qui fondait une si grande part de notre identité, tout ce qui occupait nos pensées doit disparaître de notre paysage mental, affectif. « Tourne la page ! » conseillent les amis, les parents qui détestent nous voir souffrir. « Fais comme si j'étais mort », suggère un ex-amoureux devant notre obstination à l'aimer encore. Oui, oui, nous le ferons mais qu'on nous laisse le temps d'encaisser ce « coup de poignard » qui nous brise le cœur.

Oui, c'est bien la comparaison entre l'avant et maintenant qui fait mal. Avant, il y avait les coups de fil dans la journée, cette peau que l'on pouvait toucher, ces discussions intimes où l'on partageait ses pensées, ses sentiments, son quotidien le plus banal, des projets : partir en Espagne ou ailleurs, avoir un bébé, organiser une fête avec ses copains, aller voir le dernier film sorti. Il y avait aussi ces vibrations à l'unisson. Quand l'un avait mal, l'autre aussi. Quand l'un rigolait, l'autre embrayait. On partageait les joies, les peines, les inquiétudes. On confrontait ses idées sur les gens, les émissions de télé, les hommes politiques, les collègues, la famille… Entre nous, il y avait de la compréhension mais surtout de l'émotion, des « affects » comme disent les psys, cet écho qui est la preuve même de l'amour. Ceux qui nous aiment sont touchés par notre vie, nos larmes, nos rires, nos colères… Rien de ce qui nous arrive ne les laisse insensibles. « Le contraire de l'amour n'est pas la haine, écrivait le psychanalyste Jung, c'est l'indifférence. » Or précisément, nous existions pour quelqu'un. Et même si cette résonance s'était émoussée, il restait de la tendresse : on se prenait la main, on dormait l'un contre l'autre, on pouvait compter sur elle/sur lui pour répondre à un coup de fil, se rendre disponible, se réjouir de nous retrouver, nous épauler en cas de coup dur. Bref, pour être là dans une relation à deux.

Une froideur insoutenable

On peut pleurer ensemble le jour où l'on se quitte… Cette peine que l'on fait aux enfants, le constat que ça n'a pas marché. C'est difficile mais on est encore deux.

Puis arrivent l'absence, le silence et une froideur qui peu à peu s'installe. De moins en moins d'affects puis plus du tout. Cette indifférence démolit. Elle anéantit car elle prouve que nous avons fini d'exister dans le cœur de ceux que nous aimons encore. Leur regard, leurs gestes… disent que nous sommes des étrangers ou pire : « J'étais devenue une sorte de meuble dont il n'avait même plus la curiosité d'ouvrir les tiroirs… constate Camille. Il se moquait de ce que je pouvais ressentir. Pire, il n'en avait pas la moindre idée. Il allait jusqu'à s'étonner que je souffre encore de l'aimer alors qu'il était passé à autre chose : tu en es encore là ! s'étonnait-il. » Les phrases qui commencent par « le pire » traitent toutes de cette indifférence qui s'installe de l'autre côté de notre amour. « Le pire est arrivé quand nous avons cru que j'avais un cancer, raconte Florence ; il n'a même pas ressenti le besoin de me prendre dans ses bras… » « Le pire est arrivé le jour de l'enterrement de mon père. Il était venu pour les enfants. J'étais en larmes. À la sortie de l'église, il m'a tapoté la main comme il l'aurait fait pour n'importe qui. Il avait l'air de penser : avec elle, c'est toujours pareil, du malheur, des drames, des larmes. Qu'est-ce qu'elle est lourde ! Je n'ai pas lu dans ses yeux une once de compassion… »

C'est l'absence d'empathie qui signe le désamour. Là, on comprend que quelque chose est bel et bien fini. L'autre est descendu du train qu'ensemble nous avions mis en marche. Nous voici seuls pour affronter la vie. Notre lit est froid comme le ton pressé d'une voix au téléphone : « Qu'est-ce que tu veux ? » Plus personne à qui parler, avec qui faire l'amour. Plus de nouvelles ou alors par amis, famille, enfants interposés. On nous évite, on nous fuit. Les discussions, quand elles existent, sont d'ordre pratique : « T'as mis ses chaussettes dans la valise ? Quoi de neuf ? Ça va ? Oui, super ! », etc. Plus de partage, plus d'intimité. Un regard fuyant. Des mails qui restent sans réponse. Nous sommes devenus encombrants. Mais surtout, nous avons cessé d'inspirer du chaud, du bon, du beau… Nous ne provoquons plus de désir, de chaleur, d'émotion. La preuve, cette pseudo « honnêteté » dont certains nous accablent. Les voilà nous racontant leurs exploits sexuels ou nous disant « exactement où ils en sont » par rapport à nous… respect… affection… En prononçant ces mots d'une banalité affective si crasse, se rendent-ils compte du mal qu'ils nous font ? Non, ils ne savent plus se mettre à notre place. Puisqu'ils n'aiment plus… À moins qu'ils ne préfèrent l'éloignement. Même plus envie d'avoir de nos nouvelles, d'entendre notre voix, de voir notre visage ni de rester en lien.

Florence pensait que sa vie était sur des rails, que rien ne pourrait remettre en question l'amour de son mari pour elle et leurs quatre enfants dont un petit dernier de deux ans. Ils ont tant de points communs : la famille, la tendresse, la maison, la profession – ils sont enseignants tous les deux… Un jour, il lui annonce qu'il a envie « de vivre quelque chose avec une autre femme ». Elle pense à une idée en l'air mais comme il ne dit rien de précis, elle cherche à se rassurer : « Mais tu veux toujours dormir avec moi ? » Il répond cruellement : «Bien sûr que non ! » Ensuite, elle ne cessera de mesurer pendant des semaines le fossé qui désormais les sépare : elle lui fait des cadeaux dont il se moque. Il les regarde, remercie à peine. Elle lui écrit de longues lettres lui rappelant les bons souvenirs : leurs études, leur mariage, les voyages, les bébés… Elle glisse ses missives sous la porte de leur ex chambre (puisqu'elle dort dans le salon) et s'aperçoit, le lendemain, qu'elles sont dans la corbeille à papier sans avoir été ouvertes. « J'étais niée, transparente. Quand je lui demandais : "Mais où en sommes-nous ?" Il était furieux que je l'importune avec des souvenirs dont il ne voulait plus entendre parler, poursuit Florence. Un jour nous avons rencontré des gens au cinéma ; il ne m'a pas présentée… Mais le plus incroyable a été qu'en voyant ma tête, il s'est écrié agacé : "Mais qu'est-ce qui ne va pas ?" Il était si loin… Il n'avait plus aucune empathie pour ce que je pouvais éprouver… »

Ils sont même si loin qu'ils semblent avoir perdu la mémoire. Au point que l'on finit par se demander si, un jour, il y a eu de l'amour. « Moi, je me souviens des étreintes enflammées, des déclarations, des déjeuners, des échanges de mails à n'importe quelle heure du jour ou de la nuit… Lui me dit que je rêve, que je suis "la reine du fantasme" qu'il y a eu de l'attirance certes mais pas de véritables sentiments "juste quelques moments d'abandon"… C'est une claque à chaque fois. J'ai l'impression qu'il salit notre histoire, qu'il la rabaisse et me dénigre comme si j'étais une midinette qui se fait des films… J'en perds mon latin. » Constance ne sait pas encore que le reniement fait partie du jeu.

Vous comprenez pourquoi vous souffrez ? Vous étiez son as de cœur, vous n'êtes même plus une carte à jouer…

C'est encore plus éprouvant quand on sait que cette chaleur, ces émotions, ces affects, cette envie de voir, d'entendre… sont offerts à son nouvel amour. Pire encore, ce nouvel amour est parfois notre meilleur copain, un frère, une sœur pour nous. Oscar soupçonnait que quelque chose se tramait entre sa femme et son pote de toujours. Mais entre soupçonner et savoir, il y a un gouffre que Oscar a voulu combler. Un soir, alors qu'ils dînaient tous les quatre, il a mis sa jambe de travers sous la table et son ami lui a fait du pied en le prenant pour celui de la femme de son ami… Avez-vous compris ? Oscar, lui, a réalisé sur-le-champ qu'il était doublement trompé et par les deux personnes qu'il aimait par-dessus tout. Il a repris sa jambe, rempli son verre en le serrant si fort qu'il s'est brisé entre ses doigts mêlant le sang et le vin. Savoir que cette intimité unique est partagée avec un autre crée des brûlures d'amour intolérables. Là est la trahison. Elle parle avec lui comme elle parlait avec moi… Elle prononce les mêmes mots, gémit de la même manière… Oscar devient fou. Bientôt il se calmera quand il n'aimera plus.

En attendant, la souffrance est morale et physique. Véronique se roule par terre de douleur comme si on lui avait donné un coup de poing dans le ventre. Elle n'arrive plus à respirer. Oscar a mis des années à ne plus hurler seul dans sa maison, à ne plus vouloir lancer sa voiture, sur l'autoroute, contre les piles des ponts. Il y a aussi ces maladies post-rupture qui nous piègent tant notre envie est grande de baisser les bras ou d'être pris en charge, soignés comme un bébé. À moins qu'on ne se réfugie dans des compulsions culpabilisantes nous aidant à anesthésier le chagrin : tabac, drogue, alcool ou relations sexuelles multiples et non protégées. Au cœur de ces risques, de ces sensations fortes, on cherche à noyer la souffrance qui nous submerge et à sentir que nous sommes encore vivants. Stop ! Nous avons besoin d'un médecin pour empêcher que ce mal qui nous ronge ne se chronicise.

TROUVER UN BON MÉDECIN GÉNÉRALISTE

Aimer et ne plus être aimé peut nuire gravement à la santé. Dépression, cancer, alcoolisme... les dérapages physiques et psychologiques nous guettent. Forcément, nous avons si mal que nos défenses se démobilisent. Avoir un bon médecin généraliste à qui parler et qui veille sur nous – corps et âme – dans cette période d'extrême fragilité, est indispensable. Quelques exemples pour nous convaincre : Noémie a vécu trois ruptures suivies de... trois cancers. À la troisième rupture, elle commence à se connaître. Tous ses sens sont en alerte. Comme si cette rupture portait atteinte à sa féminité, elle pense aussitôt à un cancer du sein. On lui fait une mammographie : on ne trouve rien. Elle insiste. Elle se sentait « rongée de l'intérieur » et savait exactement « où la tumeur se trouvait ». On pousse un peu plus loin l'investigation et, en effet, on finit par découvrir un nodule si petit qu'il suffira d'une radiothérapie pour l'en débarrasser. Heureusement, les symptômes (quand il y en a) sont en général plus légers. Pour Manon, par exemple, ce sont des migraines, des rhinites, des angines et une immense fatigue qui devraient durer jusqu'au 2 février. Pourquoi le 2 février ? Prend-elle des vacances ? Non, son divorce sera enfin prononcé après deux ans de procédure, de harcèlement, de lettres d'avocats... En attendant, son médecin est là...

Et une absence de communication…

Quand on quitte l'autre pour… un autre, on ne sent pas les regrets, la nostalgie. On vit dans le présent. On forme d'autres projets, on invente une autre intimité. C'est plus tard peut-être que cette nouvelle liaison radieuse et idéalisée ne tiendra pas ses promesses… Mais quand on jette l'éponge parce qu'on n'en peut plus d'une relation qui a apporté beaucoup de joies mais trop de crises, de violence… le sentiment « de froid » est aussi fort. D'autant qu'on finit par nous rendre la pareille. Les silences se répondent, l'indifférence (au moins feinte) se manifeste des deux côtés. Colette est devenue la victime de la rupture qu'elle avait initiée. Avec raison sans doute car son mari était un noceur, un aventurier, un magnifique Viking, bronzé tous les jours de l'année à force de voguer sur les mers. « L'embêtant avec ce genre d'hommes est de vouloir faire des enfants… Accostage sur la rive famille environ une fois par mois, quand le cœur lui en dit. Oui, c'est moi qui ai jeté l'éponge mais ce faisant, j'ai foutu en l'air mon passé. J'ai mis quatre ans à m'en remettre. Dans la rupture, on perd une partie de soi. Il faut décrocher avec tous les souvenirs heureux pour supporter la séparation. Et puis mon ex-mari a rencontré une petite Africaine de l'âge de ses filles. Enfin une femme qu'il pouvait dominer. Il l'a épousée mais surtout, il lui a fait un enfant. À 60 ans. Il a toujours choisi son plaisir. Alors, j'ai eu l'impression d'avoir raté ma vie, de l'avoir sacrifiée et pour si peu de choses ! Je ne voudrais plus de lui dans mon lit mais comme ami, comme père de mes enfants, oui. Cette absence de communication est terrible. On ne peut pas discuter des enfants qu'on a faits ensemble quand j'en ai besoin. Discuter d'eux avec quelqu'un qui s'en soucie autant que moi. Il faut que je passe à la trappe ma première vie. Ce sentiment d'abandon, d'injustice, c'est la souffrance des premières épouses dont le mari refait sa vie. Bien que ce soit moi qui aie rompu, j'ai éprouvé un très fort sentiment d'abandon. Heureusement, je ne m'en souviens plus. Je n'en souffre plus. Je suis très bien seule. Avec le temps, tout guérit… »

Revenir à sa vie d'avant…

L'absence de communication est peut-être nécessaire pour réussir à rompre mais l'un est quitté tandis que l'autre vit déjà une autre histoire. Quelle détresse pour celui qui est abandonné et qui en plus doit revenir à... Mais écoutons plutôt le sociologue italien Francesco Alberoni. Lui, affirme qu'on ne tombe pas amoureux d'une personne mais plutôt du projet de vie que cette personne va permettre et accompagner. Autrement dit, on tombe amoureux quand on rêve de « devenir quelqu'un d'autre dans une autre vie ». Une nouvelle histoire d'amour ouvre d'autres fenêtres avec des promesses de renouvellement, des projets d'avenir ; c'est une différence qui s'annonce et une renaissance. Enfin, nous allons être « vraiment nous-mêmes ». Enfin, nous allons pouvoir nous réaliser à travers un statut (madame de...) des activités (ah ! la peinture), la construction d'un rêve : partir vivre dans le Gers, avoir de nombreux enfants, ne plus avaler tout seul son dîner devant la télé mais le partager avec quelqu'un, etc. Voilà pourquoi l'amour nous « révèle ». Voilà pourquoi on peut tomber amoureux de quelqu'un qu'on a connu autrefois sans rien éprouver. Pourquoi aujourd'hui ? Parce que c'est le moment ! Oui, l'amour donne des ailes, et les projets d'un nouveau « moi ». Seulement quand il s'arrête, il faut retourner à son identité, à sa vie d'avant. Et revenir dans cette peau, dans cette existence que nous voulions quitter... Ce retour en arrière est lui aussi très

→

douloureux. Ariane 32 ans allait vivre avec Grégoire. Ils allaient se marier, faire des bébés, avancer dans leur boulot. Quand il a décrété qu'elle était « trop chiante ». Alors, elle est retournée à la case départ. Même plus dans son appartement qu'elle avait quitté mais chez ses parents. Elle n'a plus de copain, plus de logement, plus d'avenir. Elle ne sait même pas si physiologiquement, elle est capable de faire des bébés (sa grande sœur a dû adopter) et le temps passe. Difficile de remonter la pente avec cette impression d'avoir été jetée du haut de la montagne. Que de tristesse et de désillusion !

Une bombe à retardement

Pour toutes ces raisons, personne n'échappe à la souffrance quand la relation a compté. Mais il se peut qu'elle agisse comme une bombe à retardement. Comme il existe le mythe du couple parfait qui, sans un nuage, traversera une vie entière, il existe un mythe de la rupture qui nous libérerait d'un couple, par définition pesant, qui nous empêcherait d'être véritablement nous-même. Delphine vient d'être « plaquée », comme elle dit, par son grand amour qui a disparu du jour au lendemain. « Merveilleux, se dit-elle, j'en avais marre aussi. Je vais bien, je suis libre », jusqu'au retour de bâton que ses copines avaient prévu. En effet, une fois terminé le gros projet qui la mobilisait, elle s'est sentie « vidée. Je me suis retrouvée en pleurs, seule dans ma chambre, persuadée que personne ne m'aimait. »

Parfois ce n'est pas à la première rupture – celle qui nous touche tant – que l'on s'effondre mais à la suivante qui fait remonter toutes les larmes dont on avait cru pouvoir faire l'économie. Pourtant, elles sont bel et bien là, tapies, cherchant un prétexte pour se répandre enfin. Ce que l'on peut faire pour soi ? Accepter d'avoir de la peine, d'éprouver de la colère mais en gardant si possible le contrôle de ses actes et de ses sentiments. Décidément, nous voici mis à rude épreuve.

2

Pourquoi on n'y comprend rien…

MAIS PARCE QUE, objectivement, c'est incompréhensible. On nous avait promis un amour éternel. Voici quelques mois, quelques semaines, voire quelques jours encore, nous faisions l'amour, des projets. Il existait entre nous des sentiments, une relation qui nous semblait « unique ». Nous ne l'avions pas rêvée ; elle était partagée. Et soudain, plus personne. On se heurte à une porte close. À moins que ce soit un jour avec, un jour sans… Que se passe-t-il ? Ne pas savoir est insupportable. À moins que du jour au lendemain le grand amour de notre vie ait déserté – parfois juste avant les noces – ou encore qu'il parte avec une autre, si brutalement. Les explications sont vagues, brouillonnes. Parfois, on nous prend même pour des imbéciles : « Tu es vraiment une belle personne. Je n'ai jamais été aussi bien que dans tes bras. Prends bien soin de toi ! » Et le pire est que c'est sincère…

Dans les séparations en pente douce, la fin est prévisible : de moins en moins de sexualité, de complicité, de bien-être ensemble… Elle n'éclate pas comme un orage dans un ciel serein mais arrive par temps si gris que la séparation s'annonce comme une promesse de soleil. La séparation est vécue comme une délivrance qui mènera à la renaissance. La suite est une autre affaire. Pas toujours à la hauteur des bonheurs espérés. Mais en tout cas, l'annonce de la rupture n'est pas une surprise. On s'y attendait plus ou moins. Il en va tout autrement des ruptures brutales, non prévisibles – celles qui provoquent les plus gros chocs – les « ruptures sparadrap » qui arrachent d'un coup toutes nos illusions.

Les ruptures « sparadrap »

C'est une expression de Léo, 23 ans, un coutumier du genre. Ces ruptures consistent à se retirer brutalement d'une histoire sans se confondre « en explications vaseuses ». Elles font très mal mais en une seule fois. Tandis que les séparations au compte-gouttes relèvent plutôt du supplice chinois. Chaque jour je suis un peu moins présent, un peu moins amoureux, un peu moins envie de te voir aussi. Les deux sont insupportables quand on aime encore. La première a le mérite de nous rendre presque fous de douleur mais d'être claire et de nous permettre de guérir plus vite. Ainsi pour Alicia, une jolie femme blonde de 43 ans vivant en couple depuis trois ans avec un homme de sept ans son cadet. C'est un voisin, elle le rencontre au pied de son immeuble. Il possède, à deux pâtés de maisons, une boutique d'instruments de musique : il est luthier. Coup de foudre ! « Il m'a fait craquer… » Elle quitte presque aussitôt le papa de ses deux filles avec lequel elle vit depuis dix ans. Bien sûr, elle redoute la différence d'âge mais lui-même semble si amoureux que ses peurs se dissipent dans un tourbillon de bonheur « évident ». Trois mois plus tard, ils habitent ensemble et commence alors « une vie d'amour absolu. Tout était formidable : la complicité, la relation avec les filles, l'entente sexuelle. Nous avions des tas de copains, des projets : monter chacun notre entreprise, adopter un enfant car je ne trouvais pas raisonnable d'en avoir un autre à mon âge, des voyages, etc. Nous étions dans une bulle ; je n'avais jamais rien vécu de pareil ».

Trois ans plus tard, ils partent pour leur dernier été au Maroc, sans les filles, dans un Riad. Il continue de l'aimer passionnément, l'appelle avec affection « ma Shéhérazade » parce qu'elle parle beaucoup, raconte bien et possède un corps ravissant… Elle apprend alors que sa mère vient de tomber gravement malade. Alicia doit écourter son séjour pour la rejoindre à l'hôpital où elle vient de subir une grave opération. Angoissée, Alicia annonce à son amoureux qu'elle va avoir terriblement besoin de lui. Sa réponse ? « Pas de problème, je suis là ! »

Il est rentré du Maroc depuis une semaine tandis qu'elle est au chevet de sa mère à Marseille. À son retour, il l'attend au train. Il la serre dans ses bras. Elle est soulagée : sa mère est sauvée. Elle pleure de le retrouver et… lui aussi. Il sanglote même. Elle n'y comprend rien ! Elle ignorait qu'il fût si attaché à sa belle-mère. Elle le rassure. Tout va bien maintenant. Ils montent dans la voiture. Il continue de l'embrasser et de… pleurer. Un peu agacée, elle lui demande ce qu'il a. C'est alors qu'il lui annonce la nouvelle : « C'est fini, je te quitte ! » Shéhérazade reste sans voix. Tout de même, demande-t-elle, y a-t-il une autre femme ? Non, non ! jure le jeune homme sans arrêter le moteur car il repart. Et c'est ainsi qu'il la dépose devant ce qui était « chez eux ». Elle s'assied par terre, à même le trottoir, la tête entre les mains, le contenu de son sac répandu par terre. Il n'a pas un geste de compassion. La voiture redémarre dans un bruit de moteur qui s'emballe…

Elle reste là un bon moment avec le sentiment « d'être la vieille pute blonde qu'on abandonne sur le trottoir parce qu'elle est usée ». Son image d'elle-même en prend un coup terrible. Elle qui, dans les bras de son amoureux, s'était sentie jeune, belle, sexy, l'égale en beauté de toutes les gamines, l'expérience en plus… reçoit son âge, ses rides – auxquels elle pensait rarement –, en plein visage. Finalement, elle trouve la force de monter « leurs » cinq étages pour constater qu'il « avait déménagé toutes ses affaires. Il ne restait plus aucune trace de son passage. Il avait pris jusqu'au panier à linge, le sécateur pour tailler les rosiers du balcon, la table du salon et même le lit de ma fille… ».

À LA VEILLE DU MARIAGE…

Parfois, la rupture « c'est du brutal » diraient les Tontons Flingueurs. Âmes sensibles s'abstenir, voici deux histoires qui donnent froid dans le dos quand on a trouvé cette âme sœur si recherchée, et une âme

→

sœur – encore plus rare – prête à s'engager civilement et religieusement. Selon la wedding planner (organisatrice de mariages) Chloé Atlan, 10 à 15 % des mariages sont annulés pratiquement au dernier moment. Il s'agirait surtout de jeunes couples (20-25 ans). Mais au dernier moment, le doute ! Aime-t-on assez fort pour s'engager pour toute... la vie ? Non, répondent ces jeunes femmes (car ce sont elles les principales responsables de ces désistements de dernière minute). Explication : elles auraient rêvé d'un mariage de princesse mais, au moment de dire oui, elles seraient prises de panique ou prises... par un autre. Comme quelques années plus tard, ces messieurs surtout, qui, face au bébé, à leurs responsabilités seraient pris d'effroi ou pris... par une autre. Bref, aujourd'hui, un couple sur quatre se sépare dans les quelques mois suivant la naissance d'un enfant si ce n'est juste avant la noce...

Nicolas n'a pas encore compris : cinq ans de relation suivie mais pas encore de vie commune, la certitude d'avoir rencontré la femme de sa vie. La robe est choisie, les invités sont prévenus, la salle réservée et le curé mobilisé. À mesure que l'échéance « Madame de… » approche, il se rend bien compte que sa fiancée est de plus en plus tendue. Mais il ne s'inquiète pas. C'est la fébrilité de l'avant-tourbillon, l'inquiétude de la perfectionniste espérant que « tout sera parfait ». D'ailleurs, ils continuent de régler les détails, parlent de louer une limousine, de passer leur voyage de noces en Andalousie et de penser à prévoir des pétales de roses pour la sortie de la messe ; plus romantiques que les grains de riz, non ? Timidement, elle suggère qu'on pourrait reporter de quelques mois la cérémonie mais

Nicolas avoue qu'il ne « percute pas ». J'ai dû lui dire quelque chose comme « elle est bien bonne ! ». Mais la blague n'est pas drôle car trois semaines avant la publication des bans, il reçoit un texto (très pratiqué par les séparatistes que la honte rend abjects) un texto laconique du style : « Pardon, g t kit. »

Nicolas n'a jamais vraiment compris ce qui était passé par la tête de sa fiancée. Ni lui, ni les parents de la jeune fille qui avaient engagé des frais, et cela bien qu'ils l'aient incendiée, cuisinée, comprise par avance. Aucune méthode n'a fonctionné. Même les copines, même la meilleure amie n'ont pas su dire pourquoi elle avait annulé la fête. Stéphanie a déménagé ses affaires sans parler. On ne sait même pas si elle avait un autre homme… Difficile avec si peu d'explications de ne pas ruminer la sempiternelle question de la rupture : pourquoi ? Et de constater avec angoisse : « Si au moins elle me parlait, je pourrais comprendre, pardonner, me positionner par rapport à cette histoire, savoir ce que j'ai fait ou pas fait de trop, de mal mais là, je n'y comprends rien ! »

Quand rien n'est clair…

Les ruptures sparadrap ont au moins le mérite d'être sans espoir de retour. Il y a déménagement, rupture de contrat d'engagement… Quant au partant, il n'entreprend aucune manœuvre de réconciliation, que sa décision ait été mûrement réfléchie ou prise sur un coup de tête. Et puis il y a ces au revoir qui n'en sont pas. Ces séparations parsemées de retrouvailles enfiévrées. Ces longues absences jalonnées de ce que Sophie qualifie de « piqûres de rappel ». Karim, 40 ans, met longtemps à tomber amoureux mais une fois qu'il est pris, il aime de tout son corps, de toute son âme. Avec Vanessa, ils vivent une relation torride et parlent mariage, enfants... bien qu'elle en ait déjà deux. Cependant, la réalisation de ces projets est retardée par des soucis de travail. Elle vient de divorcer. Elle a besoin de gagner sa vie. Une occasion se présente. Un copain de Karim lui propose un emploi en Guadeloupe. « Et là, surprise, elle me raconte par téléphone qu'elle a une aventure avec lui mais que c'est moi qu'elle aime. Comme je ne veux pas la perdre, je l'accompagne dans les bras de l'autre. Je l'écoute des heures au téléphone... Elle me disait tout ; il n'est pas très difficile d'être honnête quand on n'est pas touché par le mal qu'on peut faire. C'était une situation bizarre. J'étais son mec mais je l'écoutais parler de ses coucheries avec un autre. C'était avec lui qu'elle faisait l'amour mais moi qu'elle aimait... Quand elle rentrait à Paris, elle me faisait des « revival », me retombait dans les bras et je repartais dans la relation avec la fougue des premiers jours. Je lui ai même acheté une bague de fiançailles quand... elle m'a appris qu'elle était enceinte de ce mec. Le sang m'est tombé dans les bottes ! Je lui ai proposé de revenir se faire avorter ici pour la consoler et lui tenir la main. C'est ce qu'elle a fait ! »

ON S'EN VEUT D'AVOIR MIS TANT DE TEMPS À COMPRENDRE...

Ces relations en dents de scie qui ne disent jamais où elles en sont, où rien n'est clair, entretiennent la passion car elles soufflent le chaud et le froid et sont insaisissables.

→

> Alors, on s'accroche pour en démêler les fils, pour savoir où on en est et sur quoi, sur qui compter. Les absences sont aussi glaciales que sont brûlantes les retrouvailles. On y croit, on désespère, on adore, on n'aime plus, on veut en finir, on se rejette dans les bras l'un de l'autre. Ces relations en montagnes russes peuvent durer très longtemps car nous n'avons jamais rien connu d'aussi fort. Mais de cette relation ne vient pas de la force de nos sentiments d'amour mais d'un emballement d'émotions mêlées : peur, colère, joie, culpabilité. D'ailleurs, existe-t-il cette estime, cette confiance que l'on retrouve dans l'amour vrai ? Marcel Proust analysait que dans ces cas-là, on aime des hommes, des femmes qui humainement « ne sont pas mon genre ». Et l'on s'en veut plus tard d'être resté si longtemps dans cette relation si malsaine et déséquilibrée. Mais n'était-ce pas le temps qu'il fallait pour trouver ses repères dans ce magma sordide et merveilleux ?

Enfin, Karim ouvre les yeux, cesse d'agir contre ses valeurs, de se plier aux caprices de sa Dulcinée et de se dire « que j'étais une merde de supporter ce que je supportais ». Il réalise : « Elle me gardait en réserve, au cas où l'autre ne serait pas à la hauteur. » Nous verrons comment il s'est vengé…

Incompréhensibles aussi sont les amours qui s'écrivent en morse. Silence, texto, silence, coup de fil, silence, carte postale, etc. Ces amoureux en pointillés disparaissent de notre circulation puis réapparaissent : « Je pense à toi. » Oui, mais quand, comment : un peu, beaucoup, passionnément, pour la vie ? Sur ce point comme sur bien d'autres, mystère ! Un mystère qui nous tient en éveil car rien n'est cohérent, logique, explicite. S'agit-il d'un simple break dont notre amour aurait besoin pour se régénérer ? Nous en sommes réduits à des supputations obsédantes : qu'est-ce qu'il se passe ? Où en est-il ? Où en est-elle ? Pour savoir, on fait des crises ou on se tait en rongeant son frein. En réponse, ceux dont on ne sait plus très bien s'ils sont nos amoureux nous rassurent avec les mots et s'éloignent par leurs actes avant de revenir les bras chargés de fleurs peut-être. On ne sait pas à quoi s'en tenir. C'est que l'amour n'est pas ce sentiment cartésien auquel nous prêtons un début, un milieu et une fin. Longtemps, il va, il vient et… revient. La voilà dans nos bras, le voilà complice comme au premier jour. On espère que la crise est passée et l'amour revenu mais à nouveau, il joue des tours.

Ces relations où l'on se quitte sans se quitter vraiment peuvent nous maintenir dans une relation sans espoir pendant des dizaines d'années, oui des dizaines…

Sophie s'enferre dans une relation qui la comble et la torture. Jamais elle n'a aussi bien fait l'amour, jamais on ne l'a autant aimée… Ce magicien est un collègue de bureau. Pour ce type qu'elle ne trouvait à l'origine ni très beau ni très séduisant, elle a quitté son mari avec lequel ça n'allait plus très fort, mais tout de même. Mais le divin amant est marié. Il n'aime pas sa femme (c'est lui qui le dit). Ils ne font plus l'amour mais il est attaché à elle. À trente ans. Sophie a eu toutes les caresses et toutes les déclarations qu'espèrent les amoureuses : des nuits de rêve et des mots doux à n'en plus finir. Et… concrètement ? Du vague, du contradictoire, des phrases prononcées dans le désordre : « Je vais quitter ma femme » ; « Je lui ferais trop de peine » ; « Tu es la femme de ma vie » ; « Je t'aime trop ; l'amour me rend malheureux ! » Malheureux ? « Il n'y a pas d'amour ; il n'y a que des preuves d'amour. » Notre tort est de prendre le désir pour l'une des ces preuves tant recherchées alors qu'il est surtout l'expression d'un tempérament sexuellement impétueux.

Et que valent les mots quand les faits ne suivent pas ? Six ans plus tard, bien qu'il l'ait juré mille fois, il n'a toujours pas quitté sa femme. Leur relation continue d'être clandestine : personne ne doit savoir, ni les collègues de bureau, ni ses enfants à elle, ni sa femme à lui… Est-elle la maîtresse honteuse d'un amant fantôme ? Parfois Sophie n'en peut plus. Elle fait des crises. Elle rompt mais il y a toujours un texto, un mail, un week-end en amoureux pour la rattraper au vol… C'est ainsi que l'on se fait piéger par le sexe ou le grand jeu…

La rupture des tricheurs…

Et puis il y a la rupture des tricheurs. Ils mènent la belle vie, ont des projets plein la tête, d'autres femmes, d'autres hommes tout en faisant croire que nous sommes au centre de leur monde, que sans nous la vie ne vaut pas la peine d'être vécue, etc. Aurélie a vécu un an et demi avec une sorte d'artiste maudit, toujours en galère mais apparemment très amoureux ; il ne jurait que par elle, sa muse qui le rassurait, lui donnait « envie de peindre jour et nuit… son corps, ses yeux ». Irrésistible ! Ça, ce sont des preuves non ? Il créait grâce à elle. Il n'était plus « maudit ». Il devenait le plus heureux des hommes.

Puis… il a eu besoin de « réfléchir » (c'est toujours mauvais signe ce genre de « besoin » car dans un couple, en principe, on réfléchit à deux). Un jour, il déclare qu'il va faire une retraite avec son papa. En fait, il est attiré par une certaine Gerda (une allemande) et… ne donne plus signe de vie pendant six mois. Aurélie attend, parvient à piéger sa boite e-mail et son répondeur (il paraît que c'est possible), entend un message lui apprenant qu'il est bien avec sa Berlinoise, trouve « vraiment dégueulasse » qu'il ne lui ait rien dit et s'en remet plus en moins en pensant qu'au lieu de jouer les muses, elle ferait mieux de se consacrer à son propre travail de décoratrice car elle va finir par perdre tous ses clients.

Quelque temps plus tard, pour son anniversaire, elle reçoit un texto adorable puisqu'il dit : « Bon anniversaire. Je ne t'oublie pas. Je t'adore. » Je t'adore ! Mais qu'est-ce que ça veut dire ? Et il ajoute (mais de qui se moque-t-on ?) : « Tu es la plus belle histoire de ma vie. » Alors, pourquoi l'avoir brisée ? Karim aussi a éprouvé la même incrédulité en entendant la voix de Vanessa sur son répondeur : « La page de notre amour est tournée. Mais tu es un homme exceptionnel. Je ne me suis jamais sentie aussi belle que dans tes bras. Prends bien soin de toi ! »

Pourquoi la rupture des tricheurs ? Mais parce qu'ils font croire qu'ils n'ont jamais rencontré « mieux ». Parce qu'ils taisent tout le travail effectué pour nous jeter à bas de notre piédestal. Parce qu'ils ne racontent pas comment ni pourquoi ils ont saboté l'histoire.

3

Pourquoi c'est cruel… forcément cruel

PEUT-ON VRAIMENT SE SÉPARER de quelqu'un en continuant de le trouver merveilleux, unique, idéal pour nous ? Bien sûr que non ! On ne peut rompre qu'en démolissant une partie de la personne, de l'histoire, du mode de vie… Sinon, pourquoi partirait-on ? Pourquoi se priverait-on de la voir, de l'entendre, de la toucher, de vivre avec elle ? Et comment pourrait-on supporter de la désespérer en lui lançant le fatidique « c'est fini » ? Pour en arriver là, il faut évidemment avoir passé des semaines à se dire que cette histoire ne valait pas la peine d'être poursuivie, que cette personne n'était plus celle qu'il nous fallait. Toute rupture effective est précédée d'une séparation intime au cours de laquelle ceux qui vont nous quitter se racontent que nous ne sommes pas faits pour eux, finalement, parce que l'herbe est beaucoup plus verte ailleurs, parce qu'ils s'ennuient, parce que c'est « compliqué », bref, parce que les choses ne sont plus à leur goût. Certains vous diront qu'ils n'ont jamais dévalorisé la personne ou la vie commune. C'est faux ! On puise forcément le courage de partir – et de faire souffrir – dans le dénigrement. La rupture s'appuie sur un processus de destruction et de reniement plus ou moins avoué, plus ou moins énoncé mais qui existe nécessairement. Voilà pourquoi quand les choses sont dites, elles nous paraissent injustes, calomnieuses, ingrates. La « cruauté » est indissociable de la rupture. L'oubli, la mauvaise foi, les reproches injustifiés puis l'indifférence – cette froideur – qui nous accablent tant, sont dans sa nature même. Ce qu'il nous reste à faire ? Penser qu'il n'y a pas d'objectivité dans ces vilénies, ces mots assassins, ces attitudes hideuses qui nous humilient. Il s'agit simplement, pour ceux qui nous quittent, de se convaincre qu'ils ont raison.

Ne parlons pas des séparations douces où les sentiments – s'ils ont existé – se délitent peu à peu et à quelques semaines d'écart, des deux côtés. En revanche, quand l'un continue d'aimer fort et l'autre de moins en moins, on assiste à une véritable et nécessaire entreprise de reniement. Parfois, il y a une frénésie à détruire le bon, le bien, le beau, le nous, le passé… Nous sommes jetés à bas de notre piédestal. À moins qu'on ne veuille même plus penser à nous. La relation est zappée. Purement et simplement. Plus rien n'existe, rien n'a compté, comme si notre ex-amant, compagnon, mari, femme, maîtresse était frappé d'amnésie. Il ne veut plus se souvenir. Elle ne veut plus que cette relation existe. « Fais comme si rien ne s'était passé », demande celui que nous prenons pour un fou.

Comment peut-on en arriver là ?

Une gomme à la main, il cherche à effacer les traces. À moins qu'elles ne s'effacent d'elles-mêmes parce qu'un autre film se joue dans sa vie. Un film palpitant qui lui fait oublier le beau scénario que nous avions écrit ensemble… Comment peut-on être aussi cruel envers une femme qui a été sa compagne pendant vingt ans, qui est la mère de ses quatre enfants, une femme à laquelle on n'a rien à reprocher et qui n'a fait aucune scène à l'annonce de la rupture ? Comment peut-on abandonner un homme à quelques semaines du mariage que l'on a soi-même demandé – après six ans de vie commune – sans avoir la charité de lui fournir cet embryon d'une explication qui l'apaiserait ? Comment peut-on laisser en pleurs sur un trottoir une femme qu'on aimait encore passionnément voici quelques semaines ? C'est que la cruauté est constitutive de la rupture à sens unique. Quand les deux sentent bien que leur couple est usé, quand les deux sont d'accord pour reprendre leur liberté, quand l'amour n'est plus de la partie mais le respect, le dialogue toujours possible… la fin est plus douce. Mais quand l'amour existe encore d'un seul côté, la rupture devient violente pour tuer cette part d'amour qui encombre le partant parce qu'elle lui donne des remords, parce qu'elle le culpabilise ou… parce qu'il la trouve stupide, nulle et non avenue puisque, lui, ne ressent plus rien.

Ce sont les histoires les plus sincères qui donnent lieu aux pires cruautés comme pour faire comprendre à l'autre (et à soi-même) qu'il n'y a plus rien à attendre.

La fin ressemble en général à ce que fut la relation. Parfois l'un mène la danse, l'autre suit. L'un cachait bien son jeu, il continue. L'un agissait avec goujaterie ; pourquoi changer de méthode ? Ou bien ils essayaient d'être sincères, authentiques, transparents. Et ils continuent à se parler, à se dire la vérité, autrefois pour le meilleur, aujourd'hui pour le pire… La cruauté n'en est pas moins présente. Angela et Fred vivaient un amour intense. Ils partageaient les idées, les fous rires, la méditation et une sexualité « proche du sacré », quand la jeune femme est tombée très gravement malade : un cancer du côlon avec métastases au foie. Elle lui a dit que ce serait long, douloureux, extrêmement pénible et qu'elle comprendrait qu'il la quitte, mais maintenant. Sinon, il faudrait qu'il s'engage à l'accompagner jusqu'au bout. Il a accepté de lui tenir la main… Mais de la voir pendant des jours et des mois couchée dans un lit d'hôpital, diminuée, amaigrie, malade, abîmée, avec une poche sur le ventre…, il a fini par craquer et lui dire qu'il ne tenait plus le coup, que faire l'amour avec elle le dégoûtait (parfois, il n'y a pas pire que la franchise), qu'elle était une femme formidable mais que ce ne serait jamais plus comme avant, qu'il ne pourrait plus l'embrasser, la caresser, la prendre dans ses bras… Qu'il ne pourrait plus lui faire l'amour. Qu'ils seraient peut-être amis mais amants plus jamais.

Une histoire d'ex-amour…

Une belle histoire d'amour et de rupture mais d'une extrême cruauté (comme les autres) parce qu'elle lève le voile sur le travail de désamour – et ici de dégoût – qui s'est opéré. Soudain, on nous le pose en bloc sur une table : « Regarde, voilà ce que c'est devenu. » Tout le beau, le bien qui nous avait été donné nous file entre les doigts. Il y a les faits : les texto, les mariages annulés, les absences, les silences…, mais il y a surtout la réalité des sentiments qui ne sont plus ce qu'ils étaient. Avant, il ou elle n'aurait pu passer une journée sans nous voir, une nuit sans nous toucher, des heures sans entendre notre voix, avoir de nos nouvelles… Il n'aurait pas pu prendre le risque de nous perdre à jamais en disant des choses aussi crues, aussi vraies au moins dans l'instant où il les dit.

Et maintenant, qui se soucie de savoir si notre journée a été bonne ou mauvaise ? Pas elle. Pas lui en tout cas. Ce qui était impossible est devenu non seulement concevable mais souhaité : aucune envie de nous voir, de nous entendre, de nous faire l'amour…

« Je refuse de me laisser miner par les fantasmes d'un type qui après m'avoir rêvée en rose me repeint en noir. »

Certains ont raison de se fuir avant de se détester. De ne plus chercher à se voir, à s'entendre, même s'ils ont « encore des sentiments ». Ceux qui ont l'habitude des ruptures quittent le navire avant de se cracher à la figure voire de se battre. Ils savent que ces horreurs de jeunesse arrivent quand on n'a pas encore l'habitude de rompre, quand on s'est tant aimés que la séparation est un arrachement. Et surtout qu'elles font un mal de chien en révélant que l'image si positive que l'autre avait de nous a viré du tout au tout. Alors que nos louanges étaient chantées, ce sont nos défauts qui maintenant sont gonflés, mis en avant voire inventés ou interprétés avec une mauvaise foi qui pourrait nous laisser pantois (ou nous faire rire tant le trait est grossier) si nous n'étions si « démolis » au propre comme au figuré.

C'est à se demander parfois comment il ou elle a pu nous aimer vu ce qu'il pense du personnage ! Il faut avoir une sacrée confiance en soi, ou vraiment bien se connaître pour résister aux attaques ou encore avoir rompu souvent et prendre les règlements de comptes avec philosophie, les sachant presque inévitables. « S'il a envie de penser que je suis une salope, une tordue, une sadique, une nulle, c'est son affaire, pas la mienne », constate Carine qui connaît parfaitement ses qualités et ses défauts et refuse de se laisser « miner par les fantasmes d'un type qui après m'avoir rêvée en rose me repeint en noir ».

Le venin et l'antidote

Cruel aussi parce que, devant la froideur ou l'injure, l'éconduit souffre et change lui aussi de visage. Patrick n'était pas le mari idéal. Rarement là, pas très gentil... mais enfin il devait aimer sa femme. En fait, il va surtout l'aimer au moment de la perdre. Là, pour la première fois, il lui dit combien elle est précieuse, à quel point elle compte pour lui. Sa femme raconte : « Il a pleuré, il s'est mis à genoux et... je ne ressentais rien qu'une vague pitié. J'étais à peine désolée mais il faut dire qu'il m'avait fait beaucoup souffrir, beaucoup pleurer. Quand on n'aime plus et que l'on vibre ailleurs, on devient très froid, très

→

en distance. D'ailleurs je ne voulais aucun rapprochement, cette rupture était pour moi un soulagement. Ce qu'il disait et ressentait ? Franchement, ce n'était plus mon problème. Avant, il faut dire que j'en avais pris plein la figure. C'est peut-être très triste pour l'autre, mais on ne peut pas être à la fois le venin et l'antidote. »

Dans la cruauté, chacun a son style. Il y a ceux qui déclenchent la guerre pour que nous sortions de nos gonds, pour que nous finissions par montrer le pire visage de nous-mêmes et renforcer ainsi la mauvaise opinion qu'ils tiennent à avoir de nous. Et ceux qui jouent la carte du silence, de l'absence. Cette cruauté par le vide est particulièrement pénible parce qu'on n'y « comprend rien ! ». On ne sait pas ce que l'autre pense, quelles sont ses raisons, pourquoi il frappe si fort et si brutalement en disparaissant. On garde de lui une image favorable, voire merveilleuse et… il arrête tout sans explications. C'est incompréhensible, sauf si l'on admet que nous sommes déchus, tombés de grâce en disgrâce.

Le principe de la balance

Pour nous représenter ce mouvement du cœur typique de la rupture, imaginons les deux plateaux d'une balance : nous étions vierge de tout défaut, idéal, paré de tous les avantages, inégalable, unique, etc. Rien à mettre sur le plateau des moins. Nous étions tout en haut dans son estime et son amour. Puis quelque chose est venu peser dans la balance : un rival parfois mais pas toujours. Il peut s'agir d'autres éléments déclencheurs comme une incompatibilité de mode de vie (l'un aime l'aventure, l'autre ses pantoufles), une incompatibilité de rêve (l'une veut absolument un bébé, l'autre pas), une mésentente sexuelle (je te désire, moi non plus j'ai la migraine), etc., qui s'est mis à compter de plus en plus. Ce n'est pas l'homme ou la femme qui alors est rejeté mais la relation qui est devenue impossible parce qu'elle est « coupable », parce qu'elle est « compliquée », parce qu'elle empêche de devenir l'homme ou la femme que l'on voudrait être. Puis lentement mais sûrement, son ex-conjoint sort de sa vie.

Dans les relations passionnelles, c'est la personne qui est attaquée éventuellement à la machette : « C'est une salope, un pervers, un grand malade… » On veut s'en dégoûter pour s'en défaire. Il faudra une sacrée force de caractère pour ne pas sortir anéanti de cette charge guerrière. Bref, on commence à charger de défauts notre plateau qui s'alourdit d'arguments allant à contre-couple, à contre-nous… jusqu'à finir à terre, l'estime, les joies, l'amour passés ensevelis sous la charge. Faut-il dire qu'à ce stade, nous avons cessé d'être une priorité, une raison de vivre ? Suivons le cheminement de Christina. Elle a rencontré son futur mari dans un restaurant. Il était musicien et bohème. Coup de foudre. Il est tout ce qu'elle aime : beau, charmeur, hors norme. Dix ans plus tard, elle ne le trouve plus beau du tout (il a un peu vieilli mais tout de même), son côté charmeur l'agace (elle déteste quand il fait ce qu'elle appelle « son numéro »). Quant à son côté bohème, il lui est devenu insupportable. Elle le trouve désormais « irresponsable » ; elle en a assez de faire bouillir la marmite. Disons surtout qu'un autre homme est entré dans sa vie. Nouveau coup de foudre. Il est tout ce qu'elle aime : « un homme un vrai ». Comparativement, son enfant de mari ne fait plus le poids. C'est sans aucun ménagement qu'elle lui annonce un jour, et contre toute attente : « J'ai des choses à vivre et c'est sans toi ! »

Fais comme si j'étais mort !

La cruauté – qu'elle prenne la forme de l'indifférence, de la destruction par les mots, du reniement de ce qu'a été l'histoire – a aussi pour fonction de nous faire comprendre qu'il n'y a plus rien à attendre de cette histoire. Il s'agit de mettre fin au rêve, à l'illusion dans laquelle nous sommes encore que cette histoire peut continuer. En forçant le trait, le bourreau cherche à nous mettre les points sur les i : « Je ne t'aime plus, ce ne sera plus jamais comme avant, nous n'avons plus rien à nous dire, j'en aime une autre », etc. Il le crie d'autant plus fort que nous ne voulons pas l'entendre, comme Justine qui pense encore : « Nous avons fait l'amour, nous nous sommes parlé, consolés ; nous avons fait des enfants, des Noël, bâti un nid, une vie de fêtes et de copains. » Excédé, l'ex-homme de sa vie lui renvoie une réponse qui lui revient comme un boomerang : « Oublie-moi ! Fais comme si j'étais mort ! »

4

Pourquoi on n'a rien vu venir

PARCE QUE LES MOTS fatidiques : « Je ne t'aime plus ! », « Je te quitte ! » sont précédés de tout un travail de rupture intime. Ceux qui aujourd'hui les prononcent, préparaient le terrain de la rupture depuis très longtemps parfois, mais en secret. Oh, bien sûr nous avons vu qu'ils s'éloignaient, qu'ils paraissaient soucieux, irritables, distants mais de là à penser qu'ils allaient nous quitter ! Nous avons cru à une crise – comme tant d'autres – à des soucis professionnels, personnels dus au décès d'un parent… mais pas à un glissement de sentiments nous concernant d'aussi près. Alors oui, nous n'avons rien vu venir mais comment aurions-nous pu prévoir l'impact de pensées ignorées sur quelqu'un qui avait tant changé ? Et sans nous le dire, sans rien en montrer ou si peu. Faisons taire notre culpabilité. Aimer l'autre, ce n'est pas le deviner mais vouloir le connaître. Or, c'est impossible quand le jeu est si bien caché !

Quand on dit : « Je n'y comprends rien », on pense aux sentiments de l'autre qui paraissaient si forts et qui brutalement deviennent inexistants. Ou alors qui vont et viennent : un jour avec, un jour sans jusqu'à nous donner le tournis. Quand on dit : « Je n'ai rien vu venir », on parle de la même chose à savoir du désamour que soudain l'on constate. Un désamour qui peut avoir des remords, retrouver un semblant de flamme, puis s'éteindre à nouveau jusqu'au moment où c'est sûr, on se sent assez fort pour supporter les conséquences de ce qui sera dit : « Entre nous, c'est fini ! »

N'avoir rien vu venir nous met dans la position de l'idiot de son propre village comme peuvent l'être les dindons d'une farce qui se déroulait pourtant sous leurs yeux. Pour cette raison-là, notre ego – décidément très attaqué – en prend un nouveau coup. On se sent non seulement accablé mais en plus, remis en cause dans ses capacités de jugement, et dans ses capacités d'amour : comment avons-nous pu le voir presque tous les jours sans nous apercevoir de rien ? Parfois, le couple nageait en plein ciel bleu. Il semblait, comme celui Carla, réunir tous les ingrédients qui font « durer » l'amour : entente sexuelle, projets communs, aucun conflit… Et pourtant, que s'est-il passé ? L'incompréhension fait partie de la douleur qu'éprouvent ceux qui, du jour au lendemain, restent seuls avec leur amour sur les bras. Mais si nous n'avons rien vu venir, c'est que le travail de rupture que notre partenaire tramait dans le secret de son cœur et de ses pensées, était très bien gardé !

La rupture est d'abord intime

En effet, les séparations effectives sont précédées d'un travail de détachement intime et secret qui se peaufine durant des semaines, des mois, des années à l'insu d'un conjoint qui, lui, reste dans les mêmes dispositions affectives. Bien avant de prendre un amant puis de finir par quitter son mari, Léa a passé bien des dîners à rêver qu'elle partait avec ce copain si tendre, avec ce chauffeur de taxi au profil irrésistible. « Dès qu'un homme était un peu beau ou gentil, j'avais envie qu'il m'enlève… » Elle n'arrêtait pas de rompre (en pensées) avec son égoïste et superficiel mari qu'elle aimait et estimait de moins en moins. Elle continuait à assumer ses rôles de mère, d'épouse comme si de rien n'était. Elle conduisait les enfants à l'école, décorait la maison et faisait l'amour avec moins de fougue sans doute, « mais n'est-ce pas normal après dix ans de mariage ? », pensait son mari qui lui aussi avait des hauts et des bas pour de tout autres raisons : fatigue, charge de travail… Bref, à les voir ensemble, chacun aurait juré qu'ils étaient amoureux comme au premier jour et tout occupés à bâtir une famille, un patrimoine… Un couple en pleine ascension !

Si son mari ne voyait rien venir, c'est aussi qu'elle n'était pas sûre de vouloir le quitter. On ne prive pas si facilement trois enfants de leur père à plein temps. Elle n'avait pas de travail. Et puis elle espérait toujours qu'il allait se soucier d'elle, changer, comprendre qu'elle avait besoin de travailler pour se réaliser, qu'elle en avait assez d'être « une petite poupée impeccable et fragile faire-valoir de son divin mari ». Elle se disait qu'elle partirait, mais entre le penser et le faire, il y a un gouffre et quantité d'événements qui peuvent rapprocher le couple ou distendre les liens. Certains jours, elle le trouvait insupportable. Le lendemain, pas si désagréable finalement. Même les sentiments ont des hauts et des bas ! Voilà pourquoi on s'en méfie, pourquoi on les tait. Et puis quantité d'autres choses peuvent nous retenir : la peur de la solitude, le confort matériel, le chagrin des enfants… Léa hésitait à briser une famille, à décevoir ses parents qui avaient tant cru à ce mariage et tant sacrifié d'argent pour que la fête soit belle. La peur de leur faire de la peine, de les décevoir…, voilà qui entre aussi dans la colonne des comptes amoureux… Sans le savoir, elle attendait l'occasion ou plutôt le prétexte qui s'est présenté un jour à sa porte sous les traits d'un voisin qui s'installait dans le quartier, cherchait à faire connaissance. Il n'a pas été déçu…

Lentement mais sûrement, ils détricotent l'amour. Eux-mêmes parfois n'en ont pas vraiment conscience…

Certains détricotages sont précédés de crises évidentes : l'un des deux se refuse sexuellement, oublie les rituels amoureux, l'anniversaire de rencontre, l'anniversaire tout court. Il ou elle n'a plus envie de sortir, de parler, de partager… En face, il arrive qu'on ferme les yeux sur ce détachement ou qu'on l'explique par la fatigue, des soucis, des enfants dévoreurs de temps. D'autres comme Léa ont le désamour invisible. C'est à bas bruit qu'ils se désengagent, qu'ils commencent à penser que cette relation, cet homme, cette femme, ce mode de vie… ne leur convient pas. Chez elle, la prise de conscience que « ça ne va plus » a été progressive.

Chez d'autres, elle est brutale. C'est à l'occasion d'une avancée du couple (mariage, bébé, maison…) que l'on a soi-même voulue, que l'idée de passer toute sa vie avec cette personne devient insupportable, comme si l'engagement provoquait le bilan. Cette projection dans le temps oblige à constater que l'histoire ne peut pas durer.

« Les Martin » comme on les appelle bien qu'ils ne soient pas mariés, ont vécu ensemble et fait deux enfants sans passer devant monsieur le maire. Au moment d'acheter une maison, après sept ans de vie commune, Aurore suggère que « ce serait sympa de faire la fête ». Léo voit dans cette proposition de mariage un serment d'amour renouvelé. Un soir de Noël, devant toute la famille, il demande le silence en tapotant son couteau contre sa flûte de champagne et annonce la bonne nouvelle à toutes les générations réunies. Même chose le lendemain dans la belle-famille. Aurore est joyeuse. Elle a les larmes aux yeux… Rendez-vous est pris pour dans six mois. À Pâques, le traditionnel texto annonce que la fée déphasage a fait son chemin. Finalement, elle ne veut plus se marier. Elle ne veut plus de maison. Elle ne veut plus vivre avec lui. Elle disparaît. On la cherche. On la trouve avec un autre car elle a rencontré « le véritable, le grand amour » justifié par la phrase qui tue : « Avant, je ne savais pas ce que c'était ! »

Un déphasage souterrain

On ne doit pas se reprocher de n'avoir rien vu. Le travail de détachement est lent et sinueux. Il faut du temps pour savoir si l'on aime, du temps pour en arriver à se demander si l'on aime toujours, du temps pour réaliser que l'on partira peut-être parce que ceci ou cela ne nous convient plus, du temps encore pour décider que ce n'est plus possible, et du temps enfin pour oser dire : « C'est fini ! » Les meilleurs amis qui suivent nos parcours amoureux savent bien, eux, que les ruptures effectives sont précédées de va-et-vient du cœur. Un cœur amoureux, moins amoureux, plein d'espoir puis d'espoirs déçus. Sans compter les films que l'on brode autour de l'histoire, tantôt rose, tantôt noire ou bien grise : un jour, on ne se séparera jamais. On se sent liés par les enfants, les biens, les habitudes, le désir, les copains… Le lendemain, on ne se sent pas à sa place dans cette union qui n'apporte pas l'épanouissement attendu. On noircit le tableau. Les défauts deviennent insurmontables puis la peur nous prend, finalement, on y tient à ce couple : un bisou, Chéri ? etc.

Des « petites phrases » révélatrices

De l'autre côté de cette barrière de doutes, il est possible qu'on ne voie rien malgré quelques petites phrases lâchées mais si rarement et du bout des lèvres : « Je n'aime plus cette vie... » « Tu ne t'occupes pas assez de moi » « Je me sens seul » « Au travail, je déjeune souvent avec Untel… » Quand on est positif, sûr de soi, toujours amoureux – ou que nous avons bien d'autres chats à fouetter – on ne fait pas très attention à ces minuscules avertissements dont on se dira, après-coup, qu'ils auraient dû nous mettre la puce à l'oreille. On ne retient que les bons moments qui existent aussi – pour soi comme pour celui qui se détache –, entre deux états

→

d'âme. Il faudrait parler, se rapprocher, prendre le temps de se regarder, de s'inquiéter de l'autre, de savoir où il en est mais, pris soi-même dans le tourbillon de la vie, on n'accorde pas assez d'importance aux « petites phrases » révélatrices des frustrations.

A posteriori, on se reproche de ne pas les avoir prises au sérieux, de ne pas avoir compris qu'elles cachaient des intentions radicales. Mais elles n'étaient que le minuscule pic de l'iceberg qui se formait sous l'eau plus ou moins lisse d'une relation installée. Michel et Christine étaient amis et collègues de longue date. Étant mariés chacun de leur côté, ils ont mis des années à devenir amants. Quand ils se sont retrouvés dans les bras l'un de l'autre, ils ont flambé si fort qu'ils ont eu peur. Mais ils ont continué à faire l'amour passionnément tout en protégeant leurs familles respectives. En pleine « lune de miel », il a lâché : « Tu es en train de gâcher une belle histoire d'amour. » Elle n'a entendu que le mot « amour » trop heureuse qu'il le prononce enfin, lui, si avare de déclarations… Le reste, elle ne l'a pas compris ou elle l'a oublié. D'autant qu'ils ont continué de se voir, de se parler et de se plaire infiniment. Le travail de détachement s'est poursuivi sans qu'il n'en montre rien. Jusqu'au jour où il a pu lui dire en la regardant froidement dans les yeux : « J'aime ma femme. Je me sens coupable et la culpabilité est un poison. Arrêtons là… »

Aujourd'hui, Christine constate qu'elle avait eu quelques flashs de mauvais augure mais elle chassait vite ces tristes idées pour profiter des rares moments passés ensemble. Et puis cette amitié – qui était devenue amoureuse – durait depuis tant d'années qu'elle la croyait indestructible. Elle se souvenait d'engagements datant de… quinze ans : « Entre nous, c'est indéfectible ! Tu es ma Tour Eiffel. » Elle ignorait que les tours s'écroulent. Elle ne pouvait pas croire non plus qu'après l'avoir tant aidé, tant aimé, qu'après avoir tant risqué… il allait lui tourner le dos.

Mais les comptes du désir de rompre sont injustes. Sa vision étroite. Sa mauvaise foi infinie. Quand l'amour a faibli, il oublie le passé, les délices procurées. Les verbes des ex-amants ne se conjuguent plus au même temps. L'un pense au passé : « Regarde tout ce que ce que j'ai fait pour toi, tout ce que j'ai donné, combien je t'ai aimé… » L'autre parle au futur, invente l'avenir : « Je ne veux plus de cette situation. J'ai changé de vie. Je retourne à moi-même… » Pour soupçonner ce qui allait venir, il aurait fallu… Il aurait fallu quoi ? Cuisiner, accélérer le processus, créer des crises ? Certains le font mais il n'est pas certain que ce soit favorable au couple. Ah ! si, il aurait fallu donner à l'autre ce qu'il voulait mais… Parfois ce que l'autre veut c'est seulement en finir parce qu'un autre homme, une autre femme est entré dans sa vie ou qu'il retourne à sa vie d'avant après une brève escapade dans les amours adultères. Il aurait fallu être fakir, n'écouter que le pire, oublier le meilleur, avoir mauvais esprit pour soupçonner le mal qu'ils allaient nous faire…

Pour celui qui s'en va, la souffrance a eu lieu au cours de son long travail de rupture solitaire. Pour celui qui est quitté la souffrance commence quand elle est annoncée.

« Je ne l'aimais plus depuis longtemps mais j'ai mis trois ans à le reconnaître, explique Arthur. On met du temps à se rendre compte que ce n'est plus ça. Ma compagne m'énervait dans sa façon d'être, de faire, de répondre. Je n'aimais plus sa voix, ses gestes… Je savais qu'un jour ou l'autre, je partirais. Mais je ne savais pas quand. J'attendais que ce ne soit plus supportable. Il est si difficile de faire souffrir, de l'annoncer à sa famille, ses copains. Un jour, c'est sorti. Je lui ai dit le pire : « Je ne t'aime plus ! » Et j'ai ajouté pour enfoncer le clou : « Je t'ai trompée ! » En disant cela, je l'ai mise à terre. Elle a pleuré. Elle s'est traînée à mes genoux mais, plus elle en faisait, plus je la trouvais pitoyable. J'étais à peine désolé. Il faut dire qu'elle m'en avait fait voir de toutes les couleurs… »

Comprenons bien que la rupture est longuement mûrie avant d'être annoncée et que le processus de désamour est déjà grandement avancé. Quand on revoit séparément les deux ex-conjoints, on est frappé par le décalage d'investissement entre l'un et l'autre. Trois ans après, Claire pleure toutes les larmes de son corps en pensant à « son » Pierre. Elle rembobine le film de leur relation, comptabilise tout ce qu'elle a donné (pour recevoir si peu). Se souvient même des coups qu'elle a reçus les derniers mois… On la voit elle, et on le voit lui avec un pincement au cœur. Tandis qu'elle pleure, avale des pilules pour dormir, des pilules pour se réveiller, d'autres pour se calmer, d'autres pour se doper, chipote dans son assiette pour avaler presque rien et déplore tous ses kilos perdus, il est heureux depuis… trois ans. Claire semble sortie de sa vie. Il n'y pense jamais ou si peu. Elle lui a laissé quelques vagues souvenirs et aucune nostalgie. Il faut dire qu'il a remplacé la brune par une blonde avec laquelle il voyage et s'amuse. Quel écart d'affection ! Un écart banal et poignant.

5

Pourquoi on n'arrive pas à y croire

Parce que nier l'évidence est un processus psychologique qui se met naturellement en place pour soulager une souffrance trop forte. On se dit que « ce n'est pas possible » le temps de reprendre son souffle, de retrouver un peu d'énergie. On pense aussi que l'amour est encore si présent (le nôtre) que cette relation ne peut pas s'arrêter. Nous imaginons que notre force de conviction, que nos déclarations d'amour, que nos explications vont venir à bout de ce « malentendu ». Il faut dire que l'on continue à repasser en boucle le film des bons souvenirs, des moments « magiques »… Gare aux fantasmes ! Ils sont nos pires ennemis. Ils nous aveuglent sur la réalité d'une relation désormais boiteuse ; boiteuse parce qu'elle ne repose plus que sur nous. À moins que l'on nous aime encore…

Ceux qui sont déjà passés par bien des ruptures savent qu'il entre dans l'amour une bonne part d'attirance mais surtout une grande part de fantasmes. L'amour arrive quand les deux rêvent dans la même direction : « Nous sommes faits l'un pour l'autre, nous aurons des bébés, une famille, je serai ta Jane tu seras mon Tarzan, tu seras ma muse et moi ton Picasso… » Ces rêves sont si beaux – en tout cas à nos yeux – qu'on ne peut pas croire que l'autre quitte le navire à savoir le couple qui les porte. Comment peut-on renoncer à être Jane, Tarzan, Picasso…

Ce n'est qu'une crise…

Face à la brutalité de la rupture et à la puissance d'une souffrance crue, certains mécanismes psychologiques se mettent en place d'eux-mêmes pour atténuer la douleur. Le plus connu s'appelle le déni. Il se résume en une seule phrase : « Je n'arrive pas à y croire ! » Autrement dit, nous traversons une mauvaise passe mais tout va s'arranger. Ce n'est qu'une crise de plus. Ce déni est normal s'il dure le temps d'encaisser le choc et de se rendre à l'évidence mais certains n'arrivent pas à franchir cette étape cruciale. On peut s'enliser des années dans l'espoir vain qu'il ou elle reviendra. Si cette illusion (car c'en est une dans la majorité des cas) s'éternise, il peut s'avérer utile de consulter un psy pour savoir si l'on vous fait marcher ou si vous souffrez d'une sorte de « fixation » amoureuse à dénouer…

On voit des amoureux transis s'accrocher à un souvenir minime indéfiniment remâché et bâti autour d'un regard, d'un frôlement de mains de grands romans d'amour qui, dans la réalité, n'ont parfois jamais commencé. Cependant nos rêveurs ont vu « des signes », laissant leur entourage perplexe voire éberlué. Ainsi ce célibataire de 50 ans amoureux de… sa coiffeuse. Il lui fait des cadeaux, en offre à son petit garçon, vient se faire couper les cheveux deux fois par mois, l'admire en se cachant dans les recoins du centre commercial où elle travaille. Elle est toute sa vie ! Mais cinq ans plus tard, hormis ces quelques cadeaux, il ne sait toujours pas si la jeune femme est dans les mêmes dispositions. Un ami le convainc finalement de le laisser lui poser la question : aime-t-elle son client ? Mais non, pas du tout. Elle voit bien ses avances. Elle le trouve « bien gentil », pas plus. D'ailleurs, elle a autre homme dans sa vie…

L'amoureux semble soulagé : « Au fond, c'est mieux comme ça ! Maintenant, je sais à quoi m'en tenir ! » Il décide de reprendre sa vie en main, de cesser de rêver, de changer de coiffeuse… Son entourage applaudit mais quelques semaines plus tard, il revient la voir, persuadé que « quelque chose est encore possible ». Il l'aime tant ! Elle ne peut pas rester indifférente… Sans l'aide d'un psy, ce triste Roméo chantera toute sa vie : « J'ai encore rêvé d'elle. Elle n'a rien fait pour ça… Donnez-moi l'espoir. Prêtez-moi un soir, etc. »

Une bonne part de fantasmes

Il entre dans l'amour une bonne part de fantasmes. Quand on idéalise mais aussi quand on désidéalise. Sinon, comment notre Roméo pourrait-il idolâtrer sa coiffeuse et croire sincèrement qu'elle est la femme de sa vie ? Ils n'ont échangé que des banalités, ils ne se sont jamais embrassés. Et pourtant, durant toutes ces années, il n'a cessé de la prendre dans ses bras, de lui faire l'amour, de lui prêter des gestes doux, des paroles tendres… en rêves. Sa Juliette, c'est lui qui l'a fabriquée à partir de trois fois rien. Pas étonnant qu'elle soit « faite pour lui » comme dans la chanson. Elle est devenue la femme de sa vie intérieure pas celle de la réalité. Aimer quelqu'un, revient à vivre avec lui, qu'il soit là ou pas. C'est en faire l'homme ou la femme de ses pensées et se laisser habiter par cette image qui prend la place qu'on veut bien lui donner. Roméo ne vit pas un instant sans elle. Il est prisonnier des rêves qu'il s'est fabriqués. Il n'est pas heureux. Il se rend bien compte que sa vie n'avance pas et ses amours non plus. Qu'il perd son temps, son existence à… rêver. Mais quand il arrête, il éprouve un tel sentiment de vide et de désespoir qu'il retourne bien vite à ses fantasmes. Comme les adeptes de secte, les toxicomanes, il s'est laissé envahir par une drogue qui a pour nom passion.

Et si nous n'arrivions pas à y croire pour les mêmes raisons ? Pour continuer à avoir de l'espoir, pour ne pas affronter le vide, le sentiment d'amputation qui nous accable si on nous retire notre merveilleux support de rêve. Parfois nous avons fait tant de bêtises pour cet amour qu'il serait trop atroce de devoir s'en passer. Adeline a quitté son mari mais aussi ses enfants qu'elle a laissés à leur père pour vivre une folle passion qui l'a embarquée… au Mali. Elle a changé de vie, oublié le passé, son éducation et même sa couleur de peau. Jusqu'au moment où elle s'est aperçue qu'elle était à côté de sa plaque. Son homme n'avait pas qu'elle en tête. Elle n'était pas prête à le partager et elle pensait à sa fille qui passait son bac, mais comment revenir avec ce poids de remords et de honte ?

On n'arrive pas à réaliser quand il serait trop dur de ne plus y croire...

La seule solution consiste à être soutenus par des amis, un thérapeute et cela sérieusement pour ne pas s'effondrer devant ce qu'on appelle alors « tout ce gâchis ». Heureusement, Adeline avait une sœur qui a fait le pont entre elle et ses enfants, entre elle et leur père. Elle l'a hébergée, sans jamais la juger ni la culpabiliser pour qu'elle ose peu à peu se regarder en face. Pour qu'elle ait le courage d'affronter les siens, et sa honte surtout.

Quelle place pour l'amour ?

Le mal d'amour est proportionnel à la place donnée à ce sentiment. Si nous avons laissé l'autre nous envahir comme un adorable Alien. Si nous sommes devenus fusionnels, fondus en lui, vivant pour elle... Ceux qui se donnent totalement au point de ne pas équilibrer leur vie entre différents pôles : le travail, les amitiés en dehors du couple, le sport, les loisirs... risquent de se trouver bien démunis quand le couple cassera (si cela arrive, bien sûr). Dans ces cas-là, la rupture a des conséquences dramatiques puisque nous n'avons aucun recours, aucun appui. Certains deviennent comme fous. Pour créer du lien malgré l'autre, ils le surveillent, le harcèlent,

→

infiltrent sa nouvelle vie. À moins qu'ils n'attentent dans les cas extrêmes à la vie de leur ex-amoureux ou à leur propre vie. Parmi les 160 000 tentatives de suicide enregistrées chaque année, et les 12 000 qui hélas ont une issue fatale, quel pourcentage relève du mal d'amour ?

La dernière raison pour ne pas vouloir y croire, c'est de sentir que nous sommes toujours aimés. En vingt ans, Laetitia en a fait des crises ! Elle s'est même mariée à un autre… pendant dix ans et aux États-Unis mais Bruno et elle se connaissaient depuis l'adolescence. Il a été son premier amour. Il voit bien qu'elle fond quand il prend une voix tendre, quand il la regarde avec ses yeux doux, quand il l'appelle de ce surnom qui lui rappelle son enfance, son père : « Ma Puce… » Comme d'habitude, elle reviendra bien qu'il la traite par-dessus la jambe, bien qu'il la trompe, bien qu'il oublie les anniversaires alors qu'il sait être sa seule famille…

Seulement voilà, Bruno se trompe. Cette fois Laetitia le quitte pour de bon. Et pourtant, il a raison, elle l'aime toujours, mais quelque chose a radicalement changé. Et ce quelque chose est qu'elle ne veut plus souffrir, qu'elle ne veut plus être traitée comme un chien. C'est une décision qu'elle a prise, et elle est irrévocable. Car elle a compris – c'est tout récent – qu'on ne fait pas l'amour avec des si… Si seulement il était plus gentil… Si seulement, il me disait qu'il m'aime… On fait l'amour avec des oui. Et comme il ne cesse de lui dire non, elle va passer son chemin. Continuer de l'aimer parce qu'elle ne peut pas faire autrement (pour l'instant) mais sans le voir, sans l'entendre, sans « aller chercher des baffes ». Elle ne va plus rien attendre, garder de lui un souvenir charmant, comme on aime le chocolat mais sans en manger parce qu'on sait que c'est mauvais pour sa ligne. Eh bien, elle va continuer de l'aimer mais sans en croquer parce qu'elle sait qu'il est mauvais pour son bonheur…

Bruno n'arrive pas à y croire car il n'a pas compris que cette fois, elle ne VEUT plus l'aimer !

6

Pourquoi nous aurions tort d'insister

Comme on ne peut pas y croire, comme on veut comprendre… on va au charbon. C'est-à-dire demander des explications ou, pire encore, ramper, supplier, prouver à quel point nous aimons, jurer que nous ne ferons plus jamais les mêmes « erreurs ». Le plus menacé dans la rupture n'est pas notre cœur mais notre ego. Il est déjà bien malmené par le « je te quitte » et voilà qu'il va chercher de nouveaux coups. Car en fait d'explications, nous allons constater à quel point une page est tournée ou mesurer l'ampleur du dénigrement nécessairement opéré pour ne plus vouloir de nous. Ils nous regardent distraitement, pensent déjà à leur prochain rendez-vous, prononcent des phrases creuses montrant qu'ils ne souhaitent plus partager. Quant au désir… il est mort lui aussi. Dans ce contexte, rien à attendre non plus du téléphone. Appeler ? Là encore, ce serait pour constater l'immense fossé qui s'est creusé entre nos sentiments et les leurs. Et si nous avions tort ? Alors, ils savent où nous trouver…

Nous n'écrivons plus l'histoire de la même façon. Nous sommes encore dans l'amour quand elle ou lui en est parti depuis suffisamment longtemps pour nous dire c'est fini et prendre le risque de nous perdre. Alors expliquer quoi ? Que nous sommes faits l'un pour l'autre ? Que nous avons vécu ensemble des moments inoubliables (qu'il ou elle fait tout pour oublier). Dans ces conditions, cette relation a fort peu de chances de repartir sur de bonnes bases. À moins de laisser passer beaucoup de temps et de changer bien des choses dans cette union pour l'embellir et l'assainir. Il faudra aussi qu'on vous demande pardon pour le mal qu'on vous a fait. Tout cela pour dire que la seule chose raisonnable à faire maintenant est de ne surtout pas espérer favoriser un retour de flamme qui nous brûlerait. Méfions-nous des fausses reprises, des fausses réconciliations. Fausses parce que rien ne changera sans de sérieuses mises au point et sans une farouche volonté (de sa part) avec preuve à l'appui, de nous reprendre.

Attends, je vais t'expliquer…

Seulement, cette porte close, ce lien coupé nous rendent fous. C'est la chanson de Jacques Brel et ses suppliques : « Ne me quitte pas… Laisse-moi devenir l'ombre de ta main, l'ombre de ton ombre, l'ombre de ton chien… », et ses folles promesses : « Je creuserai la terre jusqu'après ma mort pour couvrir ton corps d'or et de lumière… »

Alors peut commencer une forme de harcèlement. Pour prouver l'immensité de notre amour, nous appelons jour et nuit. Pour effacer tout le mal qu'on croit avoir fait, on se traîne à ses pieds. On jure que plus jamais on ne sera un méchant garçon ou une méchante fille. Qu'ils ont eu raison nos amoureux de nous voir en noir ! Oui, nous ne valions pas la peine d'être connus, aimés AVANT. Mais maintenant, tout va changer. Nous allons nous transformer, nous amender, devenir l'homme ou la femme dont ils ont toujours rêvé.

Ne rappelez pas !

Ne rappelez pas ! Ne vous accrochez pas ! C'est la voix de la raison qui vous parle pour essayer de contenir votre envie compulsive de voir ce corps, ce visage qui vous donnent des poussées d'adrénaline. Résistez ! Cet être est peut-être « magique », mais s'il a pu vous dire que c'était fini, c'est qu'il était capable de le supporter. Donc, qu'il prenait le risque de vous perdre. Donc, qu'il vous aimait moins. De ce fait, ce n'est pas une crise de plus, un appel au secours, un chantage affectif... C'est vous mettre devant le fait accompli. Une façon de vous dire : « J'ai bien réfléchi, je ne veux plus de cette histoire, je n'en voudrai plus jamais. » La voir, lui téléphoner dans ces conditions ? Oui, ça peut faire du bien comme sniffer un rail de coke pourrait donner un coup de fouet... jusqu'à la redescente, inévitable. Car après l'avoir quittée, après avoir raccroché, il faudra vous rendre à nouveau à cette évidence qui vous arrache le cœur : on ne vous aime plus comme avant ! Les ruptures chirurgicales font-elles moins mal ? Essayez ! Quand vous prend l'envie d'appeler, distrayez-vous : une musique, une amie, une

→

course... et ça passera. Vous pouvez aussi écrire vos émotions. Aller tchater sur Internet. Bref, essayez tout ce qui est en votre pouvoir pour, à votre tour, rompre pour de bon...

Surtout, ne pas ramper, ne pas pleurer, ne pas supplier : on ne peut pas reconquérir l'amour en se mettant plus bas que terre.

Ce que nous prenons pour des stratégies de reconquête n'ont souvent rien de « stratégique ». Dans l'affolement, on fait plutôt n'importe quoi : se charger de tous les maux, ramper, pleurer, ne pas accepter que ce soit la fin de l'histoire et... s'humilier pour qu'elle reprenne. C'est inefficace, désastreux et ravageur car nous allons en prendre plein la figure avec une surenchère de cruauté et de maltraitance pour bien nous faire rentrer dans le crâne, puisqu'il semble que nous ne l'ayons pas compris, que C'EST FINI ! En tout cas pour l'amour... Pour le reste, il faut voir. Nous garderont-ils en réserve dans un coin de carnet d'adresses comme dans les sketches de Frank Dubosc, pourquoi pas ?

Bref, Solène avait tout préparé pour la Saint-Valentin, des petites perles roses sur la jolie nappe, des bougies, un menu de réveillon : foie gras, filet de biche, Paris-Brest en forme de cœur et un cadeau : Habit Rouge de Guerlain en souvenir de l'odeur d'un ex (mais ça, il n'était pas censé le savoir). N'ayant rien d'autre à faire, il est arrivé en retard, les mains vides. Il a foncé sur la télé pour s'assurer qu'elle avait la TNT et qu'il pourrait voir la retransmission du match de foot. Il a bouffé (il n'y a pas d'autre mot) ses toasts de « pâté » *(sic)* à moitié assis sur sa chaise, complètement tourné vers l'écran. Sans attendre la mi-temps, Solène s'est mise à pleurer en silence d'abord puis à gros sanglots. C'était leur premier dîner en amoureux depuis des mois. Il a fini par la regarder : « Tu sais que tu es pénible avec tes crises ! » Le match a repris. Elle est allée se ratatiner dans un coin de la pièce en se mouchant dans sa jolie jupe en soie. À la fin du match perdu, il s'est tourné vers elle en constatant : « Tu es vraiment pitoyable ! » Fin du premier acte. Le second a eu lieu le lendemain, quand elle a déposé un bouquet de roses rouges sur son paillasson, avec un mot d'excuses : « Pardon, pour hier soir. » Le désespoir nous abîme. Il nous fait perdre toute fierté, accepter d'être maltraités. Quant à la reconquête, elle est de plus en plus improbable à mesure qu'on donne « ces preuves d'amour » qui nous enfoncent plus qu'elles ne nous servent.

Les 3 raisons de replonger

Le désir. C'est par le désir que reviennent les fantasmes, l'obsession. Ne réactivez pas les nuits d'amour, les instants « magiques ». Parfois, l'expression « avoir quelqu'un dans la peau » est à prendre au sens strict.

L'amitié. On recommence à se parler des heures au téléphone. On retrouve la complicité mais celle de très bons amis. Être considéré comme un bon copain, est-ce vraiment ce que nous souhaitons ? Pas de masochisme donc pas d'amitié... Pour le moment.

→

La compassion. On se dit qu'il va « très mal » pour nous avoir quittée (c'est mignon mais c'est naïf). Ou bien il ou elle a perdu sa mère, son père, ses affaires vont mal. On a un élan « super classe ». Nous tenons à « être là » parce que nous sommes quelqu'un de bien... Et c'est reparti pour l'amour qui fait mal.

La rupture a parfois la capacité d'incendier un amour mitigé. Marc aimait-il sa copine ? En tout cas, il la trompait avec allégresse si bien que la balance a fait son œuvre. Le plateau de Marc a fini très bas, alourdi de désillusion ; elle s'en est allée. C'est alors – et alors seulement –, qu'elle est devenue « ma moitié, la femme de ma vie… Mon amour avec un grand A ». Il en perd le boire et le manger, adore la brosse à dents qu'elle a oubliée comme une image pieuse. Hugo, lui, ira jusqu'à dormir sous les fenêtres de sa Belle en plein hiver, jusqu'à écrire des banderoles « Caroline, je t'aime ! » au feutre rouge : « des lettres de sang » dit-il avec emphase. Devant la porte close, il deviendra violent, cassant les vitres à coups de pierres jusqu'à l'arrivée de la… police.

Rappeler, revoir celle ou celui qu'on a aimé ne fait que retarder le processus de reconstruction.

Éventuellement, on peut retenir l'autre en lui faisant de la peine mais que voulons-nous ? Être à nouveau aimé ou repris par pitié ? Et puis il y a notre dignité : « Quand on a été jeté, on se sent comme une merde, constate Hugo, si en plus, on pleure, on supplie… on est encore plus jeté ! C'est un coup à plonger dans l'alcool, la dépression. Un jour, je me suis vu à terre, pas lavé, pleurnichard, n'allant plus au boulot ça m'a donné un sacré coup de fouet ! »

L'attente est un poison

Parfois on rompt parce qu'on ne supporte plus d'être dans l'attente du coup de fil, du rendez-vous avec un homme marié, par exemple. « J'ai rompu parce que je souffrais trop du manque, de rentrer en transe parce qu'il devait appeler à 20 heures et qu'à 22 heures toujours rien », constate Lou, amoureuse d'un homme marié. Dans la boîte de Pandore, il y a tous les maux de l'humanité : la maladie, la vieillesse, la mort et l'espérance, dit-on. Mais que fait l'espérance parmi ces maux ? Quand elle n'est qu'une attente, quand elle consiste à mettre sa vie en suspens dans l'espoir de… quelque chose qui n'arrive pas et sur lequel nous n'avons aucune prise, l'espérance est une souffrance. La rupture devrait au moins nous délivrer de l'attente : l'attente d'un regard qui ne vient pas, d'une déclaration d'amour qui ne se prononce plus, de l'amour qui ne se fait plus, des projets communs qui n'existent plus…

Ne nous replongeons pas dans l'obsession anxieuse du coup de fil, de l'e-mail, du texto qui nous apportera quelques secondes de joie (au moins, on pense à nous) avant que ne retombe ce piètre soufflé. Car ce que nous lirons ou entendrons n'aura rien à voir avec… ce que nous espérons. Nous serons déçus. Il ou elle parlera pour ne rien dire d'important : « Comment va le chien ? Ta fille ? Et ton boulot ? » Au bout de l'attente, s'exprimera une nouvelle preuve du décalage entre nos sentiments et… les siens.

Parfois, on pense ne plus avoir d'espoir mais sous prétexte de chercher « des explications » on veut revoir son ex-compagnon et… savoir où il en est. Anne a été fixée. Elle le contacte « pour comprendre, pour avoir une dernière explication ». Courageux, il ne se dérobe pas, promet d'être dans telle brasserie, tel jour, à l'heure du déjeuner. « Je me suis préparée pour être belle, raconte-t-elle. Je me suis coiffée avec soin, maquillée. J'avais le cœur qui battait et les larmes aux yeux. J'allais à un rendez-vous d'amour… Je pensais aussi à ce que j'allais dire, j'élaborais une sorte de stratégie pour qu'il recraque ou qu'il se rende compte de la « perle » qu'il avait perdue, à savoir moi. Dix minutes, un quart d'heure passent, ne le voyant toujours pas venir, je lui ai passé un coup de fil et… Il avait tout simplement oublié que nous avions rendez-vous. Et ce n'était pas une feinte ou un coup bas pour me faire mal. Il avait tout simplement, innocemment, oublié ! Quand j'ai constaté cette différence d'investissement entre lui et moi, ça m'a douchée ! »

… Mais voilà que vous souffrez moins. Vous vous dites que vous pourriez vous revoir. Un autre homme vous plaît, vous avez une nouvelle petite amie, pourquoi se priver d'une amitié ? Pourquoi ne pas vérifier que vous êtes guéri ? Vous vous sentez à l'abri… comme l'ancien fumeur qui depuis longtemps, ne touche plus au tabac. Guéri ? Peut-être que oui, peut-être que non. Il faut être fort et bien solide dans sa tête pour revoir l'homme ou la femme qui nous plaisait tant, corps et âme. Avant de céder à la tentation de cette première bouffée, assurez-vous que celle que vous avez aimée n'est vraiment plus la même : qu'elle a pris trente kilos comme l'ex-femme de François et n'a plus rien à voir avec la jolie petite blonde qu'il avait épousée. Ou bien qu'il est avec une pimbêche qui a tant d'influence sur lui qu'il est devenu aussi « puant » qu'elle. Et si vous n'êtes pas sûr de ne plus aimer, redites-vous ce proverbe et sa sagesse : « Ne laisse jamais le même chien te mordre deux fois. »

Deuxième partie

Le temps des peurs et du chaos

Enfin, vous avez réalisé que cette histoire est terminée. Au moins pour elle, pour lui. Vous allez commencer à penser « mon ex », un petit mot qui donne un sentiment d'inachevé et ressemble à ces oxymores associant deux termes contradictoires comme clair-obscur, merveilleux-malheur : « mon » indique la possession et « ex » la fin de l'histoire. Dur, dur… On passe de la colère, à la tristesse, à une forme d'allégresse (si nous arrivons à réagir dans un sens qui nous épate…). Quantité de peurs nous assaillent : peur de l'avenir, peur du manque d'argent, de ne pas trouver de travail, d'élever seul les enfants ou de ne pas en avoir, de plus jamais être aimé, de ne plus jamais faire l'amour ou de ne plus savoir aimer… Voici le parcours normal du combattant de la rupture. Un parcours incontournable, comme l'est le processus de cicatrisation à la guérison d'une plaie. Acceptons – avec la plus grande indulgence – d'être furieux, déçu, découragé, replié sur soi et certains jours au fond de son lit... Avec indulgence mais sans complaisance car alors ces émotions légitimes se caricaturent : la colère devient haine (et vengeance ?), la tristesse se change en dépression, la peur en crise de panique. L'équilibre est difficile à trouver mais au cœur de cette douloureuse traversée, nous allons rencontrer des alliés et découvrir surtout que nous avons des forces à mobiliser.

7

Comment soigner un ego mal en point

Nous avons le cœur brisé à l'idée qu'il ne sera plus possible de voir, de toucher, de parler avec celle ou celui qui nous fut si cher. Mais le cœur cicatrise. Avec du temps, de la patience, le souvenir s'estompe… Il est beaucoup plus difficile de réparer un amour-propre bouleversé par l'abandon, l'indifférence ou les insultes. Face au silence, nous nous disons aussi que nous ne valons pas cher. Dans l'état de fragilité où nous sommes, nous pouvons croire que nos ex-amoureux ont raison de nous trouver si… bourrés de défauts. Nous avons honte encore vis-à-vis de notre entourage et un tel sentiment d'échec. Notre esprit de vengeance n'arrange pas les choses. En réponse au mal qui nous est fait, nos pensées s'enlaidissent : idées de chantage, de vengeance, de haine… nous ne nous reconnaissons pas. Et ce retour au statut de « célibataire » qu'il est difficile à assumer ! Il va falloir prendre soin de notre amour-propre, inventer d'autres raisons d'être fiers de nous, lutter pour remonter la pente de la confiance de soi. Parfois, c'est une véritable escalade…

Francesco Alberoni a-t-il raison : « On tombe amoureux quand on veut devenir quelqu'un d'autre dans une autre vie » ? Si c'est le cas, alors nous perdons triplement dans la rupture : nous perdons quelqu'un et nous perdons deux rêves, celui de pouvoir enfin changer de vie et changer de peau. Nous avions pensé qu'avec lui, avec elle, nous allions enfin pouvoir nous réaliser et faire correspondre notre moi profond et un mode de vie. Le tout en étant compris, validé, encouragé et aimé pour ce nouveau moi qui, enfin, pourrait s'épanouir.

J'avais un rêve…

Quelques exemples : nous avons toujours rêvé d'avoir un bébé et même plusieurs, de fonder une famille. Or nous avons rencontré un garçon qui justement en rêve aussi et avec nous : nous allons prendre un appartement, nous marier, avoir beaucoup d'enfants. Ou bien nous rêvions d'aventure pour avoir vécu une enfance rangée. Comme Colette la jeune fille sage qui, après des études de droit (la loi, les règles, la justice et tutti quanti) n'avait qu'une idée : mettre les voiles et faire le tour du monde. Comment s'étonner qu'elle soit tombée amoureuse d'un aventurier, skipper de métier, naviguant sur les mers d'un bout à l'autre de l'année ? C'est encore l'histoire racontée dans *La première épouse*, le magnifique livre de Françoise Chandernagor.

La narratrice est mariée depuis de longues années avec un éditeur volage. Ils ont quatre enfants quand le coureur s'assagit pour une femme banale. Banale ? Oui, peut-être, mais elle a compris que le rêve profond de celui qui fait écrire les autres est d'écrire lui-même. Enfin deviné et soutenu, il trouve LE sens qu'il doit donner à sa vie. Oui, l'amour nous révèle. D'ailleurs, nous le crions sur les toits. Nous avons des ailes. Nos nouveaux compagnons ont raison : voilà ce que nous sommes, ce pour quoi nous sommes faits. Parfois, c'est la sexualité que l'on découvre. Dans ces bras-là, on peut atteindre le septième ciel, ne jamais s'ennuyer, découvrir une infinité de caresses, inventer des partages inédits, comprendre que le sacré et le bestial se rejoignent dans une communion à chaque fois inédite. C'est une révélation qui donne un sens à la vie comme si nous n'avions jamais été auparavant ni vraiment désirants, ni véritablement vivants.

Raser les murs dans sa vie d'avant…

Et puis… quand on dit que tout s'écroule, on n'est pas loin de la vérité. Il y a l'amour perdu mais aussi le rêve de changement qui l'accompagnait. Non seulement nous ne serons pas maman ou aventurière ou écrivain (en tout cas pas cette fois) mais il faut en plus revenir à sa vie d'avant, celle qu'on voulait fuir et… redevenir « la vieille fille seule à 36 ans qui cherche un mec, qui passe son temps dans les maternités à féliciter ses copines d'avoir mis au monde un si beau bébé ». Redevenir l'homme de bureau enfermé dans une tour, à la Défense, dans la pollution parisienne après avoir frôlé le grand air et la liberté de la campagne parce qu'on avait rencontré, comme dans le film, une éleveuse d'oies du Gers qui faisait chambres d'hôtes et nous promettait que le bonheur est dans le pré. Retrouver comme Colette le barreau (et les barreaux) d'une vie, pour laquelle elle se sent encore moins faite, après avoir espéré passer le reste de ses jours le long des côtes ou en pleine mer. Il faut remballer ses rêves et se reprocher d'y avoir cru si fort, de l'avoir même crié sur les toits tant on était sûrs qu'ils allaient se réaliser…

Et l'entourage ? Les parents de la future maman se réjouissaient déjà d'être grands-parents, de marier enfin un de leurs enfants. Ils cessaient de se faire du souci pour cette « petite » qui depuis longtemps était Catherinette, se sentait « vieille fille », un terme désuet mais une idée forte et qui fait mal ! Ils essaient de ne pas le montrer mais ils sont terriblement déçus. Remonte une détestable image d'elle-même : « pas aimable, pas aimante, foutue, vieille à 36 ans autant dire l'âge de Mathusalem, finira comme sa sœur aînée (43 ans), aigrie, revêche, fâchée avec tout le monde. Même pas fichue de faire le bonheur de ses parents, d'offrir à son père malade sa dernière joie, celle de voir da fille « casée » et d'avoir un petit-fils, etc. L'ex-aventurière des mers n'est pas en meilleur état. C'est la tête basse qu'elle revient dans son cabinet bien avant la fin de son année sabbatique. Il faut qu'elle supporte les moqueries : « Ben quoi, elle a rétréci la mer ? Il est déjà fini ton tour du monde ? Vous aviez oublié de lever l'ancre ou quoi ? » Et Patricia l'écrivain ou plutôt l'écrivaine qui voyait déjà son livre à bandeau rouge parader dans les vitrines des libraires ? Elle a honte d'avoir cru aux sornettes d'un éditeur, d'un homme à femmes qui, pour la mettre dans son lit, lui a prêté du style. Comment avait-elle pu y croire ? Il faut être bien bête, bien naïve pour tomber dans un piège aussi grossier. D'ailleurs, elle est bête et naïve…

Dur, dur le regard des autres…

Presque tous les regards font mal. Les regards indifférents de ceux qui n'aiment plus. Les regards que nous croyons critiques ou remplis de pitié « la pauvre ! ». À moins qu'il s'agisse de regards mauvais puisque, ô sacrilège ! nous avons « lâchement » rompu après avoir promis d'aimer toujours. Mais n'exagérons rien. L'empathie est plus fréquente que la parano. Tout le monde a connu des ruptures, des rêves déçus, déploré l'échec de relations amicales, amoureuses. Le pire en fait est le regard que nous portons sur nous-mêmes. Ceux qui guérissent vite gardent la tête haute. Ils assument leurs choix, leurs rêves, trouvent que « c'était beau d'y croire ». En tout cas, c'était comme ça. Quant à cette séparation, elle est un accident de la vie qui peut arriver à tout le monde. Quel regard poser sur soi ? Un regard compréhensif et bienveillant. Un regard consolateur mais plein d'espoir aussi. Pas question de renoncer à ces rêves que l'amour a dévoilés. Certains sont réalisables seuls. Les autres ne sont que reportés…

« À force de tout comprendre, j'ai tout accepté. »
Mathilda May

La honte est encore plus forte quand on a été trahi, humilié. Nadine raconte que sa cousine était comme sa sœur, sa meilleure amie, celle à laquelle elle confiait tout y compris ses histoires de couple ; un couple qui n'allait pas très bien. Elle ne se doutait pas que son mari et sa cousine fondaient leur intimité plus qu'amicale sur ses confidences. Un jour, ils sont partis ensemble. Elle s'est sentie trahie mais aussi ridiculisée d'avoir fait confiance « à deux escrocs du cœur » qui se soudaient à ses dépens. Karim et Gaétan de leur côté sont tombés amoureux de femmes qui les ont trompés plus ou moins ouvertement, en leur jurant qu'ils étaient les hommes de leur vie. Par amour, ils ont tout accepté : qu'on les trompe, qu'on les dépouille, qu'on se refuse à eux après tant de serments d'amour.

Humains, généreux, amoureux surtout… ils ont compris que l'une avait découvert la sexualité dans ses bras et qu'elle y avait pris goût au point d'en essayer d'autres : « Je l'ai révélée et d'autres en profitent… » Ils sont allés jusqu'à la demande en mariage, à l'achat d'une bague de fiançailles à celles qui juraient leur amour à eux et à d'autres.

Bien sûr, ces tromperies les faisaient souffrir mais ils ont honte surtout de ce qu'ils ont laissé faire. « J'étais un trou dans l'agenda d'une fille… je me suis senti une merde, une paillasse… » Au début, on se sent généreux puis honteux. « À force de tout comprendre, j'ai tout accepté », confiait un jour l'actrice Mathilda May.

Le bilan pour Gaétan est encore pire. Sa femme attend un second bébé quand il rencontre, à la Martinique où il est temporairement muté (il est militaire) en allant en boîte avec des collègues, une métisse « assez commune mais n'ayant pas fait l'amour avec son mari depuis trois ans, elle était tellement chaude qu'une passion sexuelle a commencé. Pour elle, j'ai quitté ma femme, vendu ma maison, abandonné mon bébé, transporté mes affaires et acheté des produits de luxe comme un écran plasma (pour 6 000 euros en tout) en vue de notre future installation.

Quand je suis arrivé là-bas, elle avait quitté son mari mais elle était froide, extrêmement distante. Elle se refusait sexuellement si bien que j'en étais réduit à me soulager dans les toilettes en attendant qu'elle veuille bien se donner. Lors d'une fête, je lui ai présenté un collègue de travail. Comme j'avais une rage de dents, je restais un peu à part. Je les ai retrouvés s'embrassant sur la terrasse. Je l'aurais tuée… mais elle a dit que c'était bien peu de choses.

Je savais qu'elle me trompait mais je ne pouvais pas en être sûr. La sachant si peu fiable, je n'ai pas osé la laisser pour rejoindre mon père mourant. J'ai fait pire : j'ai lâché mon statut de fonctionnaire persuadé que je trouverais du travail là-bas. Mon amour lui a donné confiance en elle, l'a libérée et c'est moi qui en paie le prix. Maintenant, elle s'éclate tandis que je suis sans boulot, sans femme, sans enfant ; mon père est mort sans moi, je suis couvert de dettes et tout ça pour qui ? Pour une fille qui m'a utilisé, trompé, détruit. Maintenant, elle bloque mes courriels, me raccroche au nez. Je lui ai tout sacrifié, mon amour, mon couple, ma famille, j'ai fait souffrir tous ceux que j'aimais pour elle. J'en tremble encore quand j'en parle. Parfois, je pose mon arme à côté de moi et il ne faudrait pas grand-chose… Et comment revenir en France, regarder mon ex-femme en face, embrasser mes bébés, affronter le regard de ma mère ? Je n'en ai pas la force. »

Gaétan n'a pas le choix. Il faut qu'il se comprenne, qu'il se pardonne, qu'il se considère avec toute l'humanité dont il a été capable en aimant.

Respectez-vous et l'on vous respectera…

D'autres ont la tête basse parce que leur vie privée est soudain dévoilée. Nous sommes nombreux à porter un masque, à jouer un rôle social. Comme il est difficile soudain de montrer sa vulnérabilité, de révéler les échecs d'une vie conjugale qui jusqu'ici restaient secrets. Il nous faut officialiser la rupture auprès de la famille, des amis, de l'école, reprendre son nom de jeune fille, avertir la banque, la Poste, trouver un avocat, chercher un appartement si l'on change de maison… Toutes ces tâches appuient là où nous avons mal mais elles permettent aussi de faire ses preuves, de faire valoir sa débrouillardise, ses qualités d'autonomie.

Hugues est malheureux comme les pierres depuis que sa femme l'a quitté mais il se découvre des aptitudes dans un domaine inattendu : les tâches ménagères. Avant leur séparation, il se sentait bien incapable de tenir une maison, de faire « son » repassage et la cuisine. Seul dans son studio, il constate « qu'il n'est pas si nul ! » et en tire une certaine fierté. Quant à Claire, 45 ans, elle se croyait « rangée des voitures », incapable de plaire aux hommes. Plus rien de sexy ! Elle n'a aucune envie pour l'instant de mettre un homme dans son lit mais elle se rend compte qu'elle regarde les hommes autrement et que, depuis qu'elle s'intéresse à eux (de loin), ils s'intéressent à elle (de tout aussi loin). Elle sent qu'elle peut reprendre vie, sexuellement parlant, et ce possible – tout en lui suffisant – lui ouvre des horizons. Voilà pourquoi il faut sortir pour compenser les « mauvais » regards, cesser d'être transparents, et réaliser que cet amour est fini mais que la vie, elle, continue…

8

Libérez une colère saine et… créative

Ah, comme on voudrait rendre œil pour œil, dent pour dent. Comme on aimerait leur rendre le mal qu'ils nous ont fait, les faire souffrir comme nous avons souffert. Si vous êtes dans cet état d'esprit, c'est bon signe. Il prouve que vous ne vous flagellez pas, que vous avez encore du ressort, de la vitalité… À condition que cette colère ne se prenne pas trop au sérieux. Qu'elle ne s'appuie pas sur une haine profonde poussant à la vengeance, à la dégradation des biens et des personnes. Si la revanche nous défoule dans un premier temps, elle nous détruit après coup. De plus, même si c'est difficile à accepter, on a le droit de nous quitter, de nous préférer quelqu'un d'autre et même de se conduire avec nous en véritables « salauds »… Personne ne nous appartient, même pas nos amoureux. La colère est saine, elle donne de l'énergie et nous pousse à la plus enthousiasmante des vengeances : celle de s'en sortir vite et bien. Quelle claque pour ceux qui se croyaient indispensables !

S'il y a de quoi souffrir dans la rupture, il y a aussi de quoi être sacrément en colère… Or il n'est bon ni de refouler sa colère ni de la laisser nous dépasser au point d'en arriver à dire et à faire des choses que nous regretterons « à froid ». La question est donc la suivante : comment libérer sa colère de manière positive ? (Cela valant aussi bien dans la rupture que pour tous les événements contrariants de la vie.)

La colère est une émotion naturelle. Elle ne devient toxique que si nous oscillons dans les extrêmes : entre l'intérioriser et la laisser exploser. La colère refoulée ne disparaît pas, elle empoisonne. Si nous refusons de la gérer, elle prend de plus en plus d'ampleur, souvent en se trompant de cible. En cherchant à l'analyser, nous nous fourvoyons aussi car il s'agit de l'éprouver. De l'exprimer au bon moment (quand nous sommes seuls ou avec des copines ; pas devant les enfants, ni devant son ex-partenaire), au bon endroit (ne la déplaçons pas sur la collègue insupportable ou notre patron qui en demande trop) et dans de justes proportions (est-il besoin de préciser qu'on ne cogne pas, qu'on n'insulte pas, qu'on ne dégrade pas les biens, etc.).

La colère est une sensation physique tout comme la peur… Aussi les mots pour la dire devraient-ils commencer non pas par « je pense » mais par « je ressens »… La justesse consiste à se centrer sur soi et à constater comme Louis : « Je me sens rongé de l'intérieur. J'ai la rage, la mâchoire crispée. Je souffre de bruxisme, le fait de grincer sans arrêt des dents au point de les rendre aiguës comme des rasoirs et de me couper régulièrement la langue... » Ce symptôme constaté, on se rend compte que la colère nous fait du mal, à nous d'abord, et que la solution passe par la détente et la mise en mots. Faute de quoi, elle prend des proportions qui nous débordent.

De quoi sommes-nous capables ?

Si on leur avait dit qu'ils seraient capables de frapper leur femme, de crever ses pneus de voiture ou de dénoncer leur ex-mari aux impôts... ils ne l'auraient pas cru. Mais la rupture a le pouvoir de nous mettre hors de nous. Antoine avait 20 ans, le jour où sa copine lui a dit qu'elle le quittait avec un petit sourire aux lèvres ; il a vu rouge. Elle était assise sur le canapé, moulé dans un tee-shirt à fines bretelles très décolleté. Elle avait les jambes nues, une jupe en jean assez courte. Quand il l'a vue aussi sexy, il s'est rappelé leur première fois dans cette même pièce et, sans avoir le temps d'y penser, s'est jeté sur elle, a mis les mains autour de son cou. Elle s'est débattue ; il a commencé à lui arracher sa culotte... Heureusement, il a vu ses yeux affolés, le rimmel qui coulait sur ses tempes et s'est arrêté net. Il s'est relevé confus, gêné, se sentant affreusement coupable car il s'était vu une fraction de seconde en assassin violeur, lui qui, de sa vie, n'avait jamais fait de mal à une mouche.

Sachez que la rupture d'une relation passionnelle peut conduire à des extrémités a priori inenvisageables. Depuis, Antoine est persuadé que tout un chacun peut – dans un moment de folie amoureuse – commettre un grave délit ou retourner la violence contre lui-même. Les cas de suicide passionnel ne sont pas moins fréquents. Arthur raconte lui aussi l'impensable. Sa femme le quitte brutalement après avoir emporté les enfants, les meubles, et vidé leur compte en banque commun. Alors « pour la faire chier » il va au cimetière sur la tombe de sa mère, téléphone à son ex et lui dit « écoute ! » et il tire. Par chance, à côté du cœur… Parfois, la colère, la rage rendent fous.

En France, un quart des homicides sont des crimes passionnels.

Ces cas extrêmes écartés, la colère est souhaitable car elle est une manière de se rendre justice, de constater qu'on nous a fait du mal et de se fâcher en retour. Elle aide à comprendre (même si c'est dans l'excès) que son ex-conjoint n'est pas très fréquentable, ni très bon pour soi. Elle aide à prendre de la distance.

Ceux qui n'arrivent pas à exprimer leurs émotions, qui restent calmes, rationnels dans la séparation peuvent retarder le moment du renoncement. Car dans la colère nous reviennent toutes les casseroles que le couple traîne derrière lui. Les griefs remontent parfois à la nuit des temps du couple. Remontent à la surface de la conscience tous les problèmes qui, en leur temps, ne furent pas résolus. Elle nous ressert des plats refroidis depuis longtemps : le jour où il a dit ceci, le jour où elle nous a fait cela… Parfait ! On peut même les écrire pour s'en souvenir mieux. Cette colère nous aide à quitter l'illusion du grand amour, de la relation idéale de l'homme ou de la femme « fait pour nous ».

Réprimer sa colère montre a contrario que l'on craint d'abîmer l'image de ceux que nous aimons encore, de couper les ponts, et d'affronter le vide que laisserait cet amour renié. De ce côté, pas d'inquiétude, la colère n'est pas une coupure. Elle continue à entretenir la relation mais dans une autre tonalité de noirceur et d'aigreur. Voilà pourquoi, si l'on veut guérir, il faut aussi guérir de la haine. La haine n'étant que l'envers de l'amour.

De l'amour à la haine…

En plus de se fréquenter depuis deux ans, nous étions collègues. Un jour il m'a appelée de son bureau qui était en face du mien de l'autre côté du couloir. Je pouvais le voir à travers les vitres. C'est ainsi qu'il m'a annoncé notre rupture : « Je voulais te dire... je revois mon ex, c'est la fête, on s'amuse, elle est assez rock'n roll et on aime ça ! Je me tape aussi la voisine et comme elle est hôtesse de l'air, on s'envoie en l'air... Ah ! Ah ! » Le con, il a adoré son jeu de mot. J'ai reçu un gros coup de poignard. Et, en une fraction de seconde, tout l'amour que j'avais pour lui s'est transformé en haine, en aversion, en dégoût, en répugnance totale : je ne pouvais plus le regarder en face. Pour moi, il était devenu « un gros porc ». Il a pris une voix étonnée : « Ben quoi ? Tu veux qu'on couche ensemble ce soir ? » Je lui ai répondu : « Sûrement pas, tu me fais vomir. » Subitement, tout s'effondrait. Cette histoire à laquelle j'avais tellement cru partait en fumée. Tant d'efforts pour lui laisser une certaine liberté, tant de patience, de compréhension pour en arriver à un échec total ! Je vivais cela pour la première fois de ma vie et pour la première fois aussi j'ai appelé les urgences psychiatriques par peur de devenir folle... »

Nous sommes parfois effrayés par l'intensité que notre haine peut prendre, par les idées de meurtre – oui, de meurtre –, qui peuvent nous traverser l'esprit mais les sentiments de colère ne font de mal à personne. Seuls les actes ou les mots ont un pouvoir maléfique. Retenez-vous d'exploser si vous le pouvez. Retenez-vous devant les enfants qui n'ont pas à entendre le mal que vous pensez de leur autre parent… Mais osez vous lâcher en pensée. Angela est une femme adorable. On ne peut pas faire plus aimante, ni plus amoureuse. Pourtant, le grand amour de sa vie vient de la lâcher dans les pires conditions. Alors qu'elle est encore gravement malade. Et que fait-elle ? Elle comprend. Elle pardonne. Elle compatit… Et pourquoi ? « Il va si mal ! » On ne peut pas s'empêcher de penser que ce sens de l'autre sonne faux, qu'il est exagéré, qu'il ne peut pas l'aider. C'est à elle que devrait aller en priorité la compassion, à elle qui est malade et seule désormais. Heureusement, elle pleure en disant que les émotions sont un poison lavé par les larmes et… par la colère aussi.

SIGNÉ FURAX…

Se venger par lettre et la signer Furax (comme dans le célèbre feuilleton de Pierre Dac et Francis Blanche), écrire tout le mal que l'on pense de cet homme, de cette femme, se rappeler toutes les méchancetés et dans les moindres détails, jusqu'aux mimiques, jusqu'aux petites phrases lâchées incidemment à la préhistoire de notre relation, sans rien oublier... est une véritable purge. Soyons le plus concret possible. Défoulons-nous quitte à être injustes, méchants, sans accorder aucune circonstance

→

atténuante, ni trouver des excuses, encore moins pardonner. Notons aussi les déceptions, les ridicules, les travers... le tout écrit en rouge, d'une manière appuyée, en exagérant la taille de ses lettres et en soulignant les mots importants... Vous verrez que c'est aussi libérateur qu'une bonne crise de larmes. Ceci fait, vous déchirerez la missive vengeresse, en vous sentant beaucoup mieux ! Et n'oubliez pas d'éviter le piège du mail. Il est si vite fait de cliquer sur « envoyer » ! Lancer « pour de vrai » cette litanie d'accusations ne ferait qu'aggraver des relations assez compliquées comme ça. Il convient de les préserver autant que possible en particulier pour les enfants. On peut aussi exprimer sa colère devant des amis à choisir parmi ceux qui ne s'effraieront pas de notre violence et qui ne chercheront pas à nous calmer... puisque cette sainte colère se soulagera dans les mots.

Le « martyr » piégé et... piégeant

Difficile pour ceux qui par nature « donnent beaucoup » de se mettre en colère car le sens de l'autre l'emporte sur le sens de soi. Dès lors, leur colère se retourne contre eux-mêmes. Ils s'accablent mais... enragent aussi contre la terre entière : leur ex-conjoint auquel ils ont tant sacrifié, leurs enfants parfois, ces « voleurs de vie », leurs parents qui ne leur ont pas appris à s'affirmer. Où va passer cette colère enfouie ? Dans une maladie, une dépression ? Dire qu'il est en boule est tout aussi difficile pour « le bourreau », « le méchant », « le salaud » ou la « salope » qui s'en va vivre sa vie « égoïstement » après « tout ce qu'on a fait pour lui » car sa colère est dévorée par une immense culpabilité (qui peut lui faire céder tous ses biens pour se faire pardonner…). Il se sent d'autant plus coupable que tout le monde s'en mêle : la famille, les amis… Personne ne veut voir que, dans l'intimité, le sacrifice est un piège pour tous. Parce qu'on y joue un rôle, parce qu'on ne peut pas être soi puisqu'il faut être parfait, comme si c'était possible ! Pour ces bourreaux et victimes, il convient d'apprendre – plus encore que pour les autres –, à décharger leur colère mais par des moyens acceptables, économiques pour l'image de soi et sans aucun risque.

Vengeance quand tu nous tiens !

Plus traditionnellement, on imagine défoncer des portes, voler des bijoux, faire suivre par un détective privé, envoyer à leur patron, leurs parents, leur inspecteur des impôts les preuves de la face cachée des « plaqueurs » afin que tout le monde sache « qui ils sont vraiment »… Certains pensent à se venger mais d'autres… le font. Alicia, a crevé des pneus. Stéphanie a reconquis son ex « pour le fun ». Ils sont allés à l'hôtel. Ils ont fait l'amour jusqu'au moment où quelqu'un a frappé à la porte. Surprise ! C'était la nouvelle copine de l'ex, prévenue par l'ancienne, soit par Stéphanie elle-même en organisatrice de flagrant délit sexuel. Ne comptez pas ruiner ainsi le prochain couple de votre ex. Il en sera quitte en général pour une grosse dispute et une bouderie d'une durée plus ou moins limitée.

En revanche, si votre but est de ne plus jamais entendre parler de l'homme aimé, la méthode est radicale. « Je vais venir te casser la gueule » a hurlé un piégé. « Bien trop lâche pour ça ! » a constaté la « piégeante » guérie de son chagrin d'amour mais… pas trop fière d'elle. « Finalement je ne suis pas pour les méthodes glauques. Devenir aussi dégueulasse que son ex n'est pas très satisfaisant à long terme. On a surtout besoin de sentir qu'on est quelqu'un de digne, quelqu'un de bien et de garder une bonne image de soi et de l'histoire qui finit. »

Même constatation chez Isabelle qui s'est vengée de la même façon (flagrant délit sexuel) et sans plus de succès : « Sur le moment, cette vengeance m'a fait beaucoup de bien, elle m'a apaisée. J'avais été niée, rejetée, bafouée, trahie, et puis je suis passionnée, je m'étais promis de le faire payer. Mais ensuite, j'ai été très mal, dépressive, car je suppose que je n'étais pas très fière de moi et puis cela a sali notre histoire : moi j'étais moche et lui aussi. »

Le mal qu'on nous a fait ne donne pas tous les droits !

Jonathan est marié depuis 19 ans et coureur de jupons. Il rencontre une très belle fille très riche, qu'il quitte au bout de trois semaines. « Elle s'est mise à me suivre, à me persécuter. Elle s'est inventé un enfant de moi, elle a noyauté mon entourage professionnel, envoyé des lettres à ma femme, nous a épiés dans la rue, a envoyé quarante roses blanches pour mes quarante ans, elle a soudoyé la nourrice de mes enfants, cherché à se faire embaucher par mon employeur… » Harceler au téléphone pendant les premiers jours de la rupture « pour comprendre », attendre au bas d'un immeuble pour « être enfin fixé », envoyer lettre sur lettre est compréhensible mais si ça dure, attention… Par la haine, on reste accroché. On en arrive aussi à se punir soi-même comme ceux qui tuent la femme aimée et finissent en prison ou comme Médée qui, pour se venger de Jason, tue leurs deux enfants… La vengeance laisse un goût de cendres.

Le harcèlement, une façon de dire « ne m'oublie pas »

Ce qui est insupportable, c'est l'oubli. Pour conjurer cette indifférence qui les « tue » certains vont se rendre cent fois plus présents dans la haine, faute de pouvoir l'être dans l'amour. « Je préfère qu'il me déteste plutôt qu'il m'oublie », dit Clémentine. Traquer, faire du chantage au suicide, crever ses pneus, griffer sa voiture, téléphoner jour et nuit sans dire un mot, diffuser sur Internet la photo de son ex dans des postures ridicules ou pornographiques... sont des formes pratiquées de harcèlement. En ce cas, la vengeance n'est pas une thérapie mais plutôt le symptôme d'un déséquilibre aux racines lointaines. L'affolement et la haine que déclenche la rupture rappellent la panique du petit enfant qui perd de vue sa maman dans un grand magasin. La vengeance ne soulage pas, elle conduit en prison, détruit la vie de l'autre mais la sienne aussi. Elle ne guérit pas non plus des troubles psychologiques ainsi révélés et surtout, elle vous rangera définitivement dans la catégorie des folles ou des fous. Se venger, harceler, s'accrocher un peu au début, c'est normal. Si ça dure, si on ne comprend pas pourquoi « je le détruis mais je me détruis aussi », il y a urgence à consulter un psy.

De plus, ce lien entretenu par la haine retarde notre reconstruction. Elle nous enferme dans cette histoire d'amour, nous empêche de vivre. La haine a le mérite de nous rendre la vue. Elle nous fait entrevoir l'autre tel qu'il est et non tel que nous l'avions rêvé. C'est un réalisme curatif qui nous donne le recul nécessaire pour accepter la perte. Mais la haine d'amour ne peut pas durer. On ne peut pas rester dans le rabâchage du ressentiment. La haine est le contraire de l'acceptation. Elle finit par tout envahir et nous dépasser. La meilleure façon de s'en débarrasser est de se recentrer sur soi-même. De recenser les différents sentiments qui la composent : idéalisation, déception, peur, rancœur, tristesse, sentiment de solitude, d'abandon, d'humiliation. Acceptez la perte et elle s'apaisera. Toutes les émotions s'apaisent quand on s'occupe d'elles.

Les 5 idées d'une colère bien gérée

1. Ne craignez pas votre colère : elle est saine, humaine, naturelle. Tout le monde l'éprouve et vous avez, en l'occurrence, bien des raisons de voir rouge.

2. La colère et l'agressivité sont deux choses différentes. Votre colère ne fait de mal à personne... tant que vous ne passez pas à l'acte. En revanche, la violence physique ou verbale est inutile voire dangereuse. Le premier moment de défoulement passé, vous risquez d'avoir des remords et de le payer cher.

3. Elle est longue à désamorcer. On dit que vous serez en colère pendant environ trois ans. Néanmoins, on ne vous met pas en colère. C'est vous qui décidez de l'être... ou pas.

→

4. **Profitez de la colère pour mieux vous connaître.** Qu'est-ce qui vous fait sortir de vos gonds ? Toute allusion à vos capacités, sexuelles, parentales, financières, professionnelles ? Vous saurez ainsi où vous avez des doutes...
5. **Apprenez à vous détendre** en faisant de la relaxation ou de l'exercice physique. Apprenez plus généralement à dire quand quelque chose vous blesse. Ne laissez pas mijoter vos ressentiments. Tout le monde appréciera que vous sachiez être « clair ».

Ayez la colère… créative

La manière la plus joyeuse consiste à développer son sens de l'humour. Sophie a eu la bonne idée de surnommer cet ex qui l'a tant fait souffrir « Shrek », « parce qu'on pense que c'est un prince alors que c'est un dégueulasse, parce qu'il a besoin d'une princesse pour devenir un roi, parce qu'il vit dans un marécage, parce qu'il est sale, parce qu'il se roule dans la fange et se tape autant de nanas que possible en faisant croire qu'il est nickel ». En disant cela, elle rit aux éclats.

Camille, elle, n'ose pas dire comment elle appelle son abonné absent puis elle avoue en riant elle aussi que, d'origine anglaise, elle l'a surnommé « Shithead » soit « Tête de merde », parce qu'il avait l'esprit tordu et abusait du cannabis. Ah ! Ça va mieux en le disant et… ça ne fait de mal à personne.

On propose à Hugues de surnommer son ex-épouse « la sainte femme » afin qu'il se rappelle combien il était difficile pour lui – cet homme si vivant – d'être Joseph le chaste, enfermé dans un rôle et dans le « no sex ». On peut associer à ce « taillage de costard », comme dit Sophie, le ou la nouvelle partenaire. Béatrice les appelle « Monsieur et madame Propre » pour se rappeler les dix-neuf ans vécus auprès d'un homme maniaque qui traquait la poussière et les toiles d'araignée jusque derrière les radiateurs. Il se plaint aujourd'hui de sa nouvelle femme « qui n'arrête pas de faire le ménage ». Angela rit sous cape : « Ils se sont trouvés ! Madame Propre est le double de son ex-mari… en pire. »

Dans la série des caricatures, on trouve aussi « M. Hyde » (le versant noir du Dr Jekyll) ou plus simplement « le pervers, le grand malade » et… pardon pour elle, « la folle du cul », ou encore « Monsieur Çavabien » pour ces esprits qui veulent toujours po-si-ti-ver. Voilà qui remet les pendules de notre cœur à l'heure. Voilà qui fait tomber le grand homme ou la femme fatale de son piédestal. Voilà qui relativise l'image idyllique de notre si grande histoire d'amour… et le tout sans faire aucun mal à l'intéressé auquel on épargne crises et insultes. Ces surnoms trouvés avec des copains sont encore plus jubilatoires. Ils déclenchent des fous rires bienvenus en ces périodes moroses.

Dans cette veine créative, on peut encore imaginer des scénarios de vengeance finissant de préférence par un « meurtre ». Pénélope a été très amoureuse d'un homme marié. Quand, après dix ans de résistance, elle accepta d'entrer dans le lit du monsieur, il décida avec la goujaterie de l'homme qui, s'étant bien dépensé (sans trop débourser) retourne à la case foyer, que c'était fini. Surnom ? Tartuffe. Scénario ? Il est mort d'une crise cardiaque. Pénélope va à l'enterrement où se trouvent au premier rang sa veuve et leurs trois filles. Elle se cache pendant toute la messe derrière un pilier. À la fin de la cérémonie, au moment de présenter ses condoléances, elle glisse un mot dans la main de l'épouse de feu son amant : « 11 centimètres au repos, 14 quand il est dans de bonnes dispositions, grain de beauté sur le testicule droit. » Pénélope en rit toute seule. Bien sûr, cette idée ne sortira pas de son esprit mais lui aura fait beaucoup de bien.

La colère libératrice présente l'avantage de nettoyer l'esprit, de faire partir la rage, de nous légitimer dans le mal qu'on nous a fait, de nous faire rire aussi. Quand elle est amadouée, elle relance l'énergie. Elle donne du peps, nous empêche, tant que nous l'éprouvons, de nous sentir accablés de tristesse et de peurs. Elle est bonne cette colère car c'est elle qui, selon Sophie, permet de survivre et d'avancer : « Parfois ma colère me fait dire : je vais devenir tellement forte, qu'il regrettera de m'avoir quittée. »

9

Peur de quoi exactement ?

Nous franchissons facilement l'étape de la colère. La seconde est plus délicate car elle consiste à reconnaître la peur qui la sous-tend. Tu es parti ? J'ai peur de l'abandon. Tu m'as trompé ? J'ai peur de ne pas être assez sexy. Tu avais promis de m'aimer toujours ? J'ai peur que l'amour ne dure pas, de n'être pas aimable longtemps et puis dès qu'on me connaît, on est déçu… Il est plus aisé d'éprouver sa colère que ses peurs. Pourtant, dès qu'on identifie précisément ses craintes, on trouve des arguments pour les raisonner et les apaiser. J'ai peur de l'abandon mais je ne suis plus une enfant démunie. Je me lie facilement d'amitié. Je ne suis pas perdue. Pas assez bien pour toi ? Peut-être ta nouvelle femme te correspond-elle mieux. Je ne suis pas « moins bien », c'est seulement que je ne te conviens pas ou moins bien qu'elle… Aimer toujours ? Bien sûr que c'est possible ! La preuve, ces couples autour de nous mais ce n'est pas possible entre nous. La prochaine fois peut-être avec un autre homme, une autre femme…

On ne peut plus avoir de doute, la séparation est effective. C'est alors que nous nous retrouvons seuls et que les peurs affluent. Ce sont encore des peurs non identifiées, un assaut d'angoisses indéterminées qui nous paralysent et dont les effets rejaillissent sur tous les compartiments de notre vie. Professionnellement, difficile de se concentrer. Les relations avec nos collègues, nos amis peuvent se dégrader. Avec nos enfants, nous manquons de disponibilité et de patience. Rien ne va plus ; nous ne savons plus comment nous en sortir, par quel bout prendre les problèmes. C'est un entrelacs de peurs qui nous bouleverse, nous fait perdre nos repères et réagir dans le désordre quand il faudrait nous asseoir, réfléchir le plus tranquillement possible et mettre des mots sur ces angoisses qui désorientent notre boussole intérieure.

Les peurs non reconnues sont les plus nocives.

C'est en les identifiant, en les nommant, en les affrontant que l'on parvient à les dépasser. Sinon, elles paralysent. Quelles sont ces peurs qui nous gouvernent au moment de la rupture ? La peur de l'inconnu est la plus fréquente. On se demande avec angoisse : quelle sera ma vie d'après ? L'image qui nous saute aux yeux est une sorte de trou noir fait de vide, de solitude et de non-sens. Pour se rassurer, on peut se dire qu'il y aura de l'inconnu dans cet après, mais aussi beaucoup de connu et de bouées de sauvetage qui, depuis toujours, nous soutiennent et nous consolident.

S'accrocher à ce tangible, le mettre en mots, comprendre aussi que nous possédons en nous-mêmes des recours nous ayant servi, par le passé, à surmonter d'autres épreuves, est d'un grand secours.

Polarisons-nous sur ce qui ne change pas mais en nous demandant aussi pourquoi l'inconnu serait-il effrayant ? Dans l'état de peur et d'angoisse où nous nous trouvons, nous le voyons à la manière paniquée d'un enfant sans repères. Il suffit de s'asseoir tranquillement dans un fauteuil et – quitte à faire des colonnes « peur/pas peur » – affronter ce qui nous effraie tant pour voir ce qui dans nos peurs, est rationnel et ce qui ne l'est pas. C'est à cet exercice que s'est livrée Florence.

« J'AVAIS TERRIBLEMENT PEUR... »

J'avais des crises d'angoisse. J'ai une copine psychiatre dont l'écoute est précieuse. Un jour, je l'ai appelée en pleine crise. On a discuté au téléphone. Elle me posait des questions très précises, voulait savoir ce qui me faisait peur exactement. Et j'ai compris soudain ce qui m'angoissait : c'était la peur de l'inconnu. Dès que j'ai eu trouvé le point exact de ma peur, je me suis sentie beaucoup mieux. En fait, ce qui m'angoissait n'était pas que mon mari me quitte pour une autre femme mais la peur de la vie qui allait suivre. J'ai compris que j'avais mon destin en main et qu'il n'y avait rien de tellement inconnu. Je pouvais dire à peu près comment les choses allaient évoluer. Il allait me quitter mais je garderais mon métier. Je craignais aussi d'être seule avec les

→

enfants (j'en ai quatre) ou d'avoir de graves difficultés matérielles mais je savais qu'il saurait rester un père pour nos enfants et que les difficultés matérielles ne seraient pas si graves puisque nous pourrions vendre la maison. À peine avais-je compris que ce n'était pas tellement l'abandon de mon mari qui me faisait du mal mais ces peurs infondées, que je me suis sentie mieux. Car au fond, étais-je si amoureuse de lui ? Non, c'est un mur et j'ai besoin de gens qui communiquent...

Peur de l'étiquette

C'est aussi une image qui nous effraie, celle de femme « seule », homme « plaqué ». Comme si être en mal d'amour était une honte. L'image de soi aussi, est en rupture. Nous avions l'habitude d'être femme de… ou homme marié et donc accompagnés, aimés, intégrés à un couple, une famille et nous voilà revenus en arrière rejoignant la cohorte des célibataires avec dix, vingt ans, trente ans de plus que la dernière fois.

De fait, il y a du jugement dans l'air malgré la banalité des ruptures. « Si je suis extrêmement honnête, quand je vois ma copine qui vient d'être plaquée, je la plains, je me dis “la pauvre” et en même temps je comprends que son mec soit parti : elle était toujours à lui faire des reproches, à revendiquer. En la voyant – ce n'est pas très charitable – je ne peux pas m'empêcher d'être assez fière d'avoir le même homme depuis dix ans et puis je me méfie un peu. Elle est très mignonne : et s'il venait à tomber amoureux d'elle maintenant qu'elle est libre ? », constate lucidement une amie qui veut du bien à sa copine mais qui très humainement, se défend d'un bouleversement qui la touche aussi…

La solution pour nous consiste à assumer notre situation, à accepter que parfois on nous juge. Que certains se confortent dans leur propre vie en constatant les difficultés de la nôtre (après tout c'est inévitable et nous, à leur place, qu'aurions-nous pensé ?). Quant à cette « étiquette » qui vous abîme, que ce soit celle de celui qu'on a « quitté », de celle qui a « trahi », de celui qui a « abandonné »… n'est-il pas possible de l'envisager autrement ? Rompre est parfois une chance (quand on nous rendait si malheureux) voire une forme de courage : celui de ne plus accepter le malheur ou la morosité d'une relation morte ou les éternelles crises d'une relation passionnelle qui joue à je t'aime, je te fuis ou à je t'aime, moi non plus…

Autant de jeux stériles qui font l'effet de pédaler dans la semoule d'un amour épuisant, dont le seul avantage est de nous procurer des sensations fortes mais à quel prix ? La question de Florence est aussi la bonne : « Aimions-nous tant que cela cet homme, cette femme ? » La plupart du temps, la réponse est non.

Les 11 peurs de la rupture

1. Peur de l'inconnu : qu'allons-nous devenir dans cette nouvelle vie ? La personne que nous avons toujours été plus une part d'inconnu qui ne sera pas forcément négative...

2. Peur de sa nouvelle étiquette : seul, célibataire, divorcé... et des jugements qui vont avec. Peut-être perdrez-vous des amis mais vous vous en ferez d'autres.

→

3. Peur que tout le monde soit au courant d'une vie privée qu'on cherchait à cacher, concubinage, mésentente, violence... Eh bien, assumons notre vérité !
4. Peur de manquer d'argent... C'est un souci qui nous tiendra aussi : il faudra bien trouver du travail.
5. Peur d'élever seule les enfants. Les pères sont de plus en plus nombreux à vouloir le rester, même après la séparation.
6. Peur de la colère, la nôtre ou celle de notre ex-conjoint. La nôtre nous donne des idées folles mais ce n'est pas pour cela que nous passerons à l'acte.
7. Peur de ne pas être digne d'être aimé puisque celle ou celui qui nous connaissait le mieux nous a quitté. D'autres peuvent nous aimer si elle ou lui n'a pas su le faire...
8. Peur que la souffrance empire, qu'elle ne s'arrête jamais. Elle s'apaisera...
9. Peur de manquer d'énergie pour faire face, remonter la pente, travailler... Si nos forces ne reviennent pas, il existe des médecins pour nous aider.
10. Peur du divorce, des démarches, du contact avec la justice. Elles sont plutôt un soulagement, le début d'une page qui se tourne.
11. Peur de se lancer dans une nouvelle relation... Pour l'instant, bien sûr que c'est difficile voire inenvisageable mais ça ne durera pas.

La peur est aussi bénéfique. Elle nous met aux aguets, à l'abri quand le danger menace. En ce sens, elle nous protège, même si momentanément elle nous inhibe, nous isole. Elle peut aussi devenir un excellent stimulant si elle nous rend entreprenant, combatif. C'est le tour positif qu'il faudrait lui donner... À l'idée d'avoir des problèmes d'argent, certains divorcés vont développer de nouvelles compétences professionnelles et progresser dans leur carrière. À l'idée de vivre trop seuls, d'autres vont s'inscrire dans une association de bénévoles qui leur donnera le sentiment d'être utiles. Cette peur qui pour l'instant nous paralyse peut devenir une alliée à condition de la regarder en face ; comment pourrait-on surmonter ce qu'on ignore ? Écrire ses pensées est une bonne façon de mettre à jour les peurs qui nous habitent. Ceci fait, des stratégies d'action apparaissent. Si vous êtes un homme, par exemple, et que vous redoutez de perdre l'amour de vos enfants en ne vivant plus avec eux à plein temps, commencez par en prendre conscience. Puis demandez-vous comment vous allez garder le contact. Bien des pères découvrent leurs réelles qualités paternelles dans la séparation. Enfin, ils ont ces tête-à-tête, ces activités et cette relation vraie qui leur échappaient tant qu'ils vivaient à l'ombre de leur travail et de la mère de leurs enfants. Oui, une fois les peurs dépassées, la séparation peut être une renaissance.

Parade à l'angoisse

C'est la peur qui nous rend angoissés, malheureux et non ce que nous redoutons. Elle se cache sous de nombreux masques : colère, protection, réclusion... Nous devons peu à peu transformer cette angoisse en sagesse. Nous avons bien des raisons d'avoir peur mais, comme à chaque fois, c'est en faisant le point, en les affrontant pas à pas, en décomposant ces angoisses sans nom, qu'elles deviendront des peurs connues et donc vaincues. Mais comment faire face aux crises d'angoisse créant comme un gouffre au centre

→

de notre corps ? Comment faire passer cette abominable sensation qui nous glace et nous fige ? Isabelle Filliozat dans son livre *Que se passe-t-il en moi ?* (Éditions Marabout) nous donne une clé. En plaçant deux oreillers derrière vous, asseyez-vous bien droit. Inspirez en gonflant le ventre et, bouche ouverte, rentrez le ventre rapidement. Le diaphragme propulse l'air. Répétez ce mouvement plusieurs fois. Et inspirez, expirez à nouveau en disant « non » le plus fort possible.
Maintenant, mettez vos bras à l'horizontale poings fermés et frappez le coude dans les oreillers sur chaque expiration en gardant les yeux ouverts. Après plusieurs coups bien appuyés, l'angoisse est partie...

La peur ne doit pas être une entrave à la vie

Souvent, les thérapeutes demandent à ceux qui ont peur ce qui pourrait leur arriver de pire. Or, il apparaît que le pire est souvent bien improbable… Ne plus jamais être aimée vraiment à 30 ans ? Être abandonné de tous ? Mais pourquoi cela ? Terminer sous les ponts ? Il y a des aides pour les mamans seules, des propositions de réinsertion. Agnès a quitté son mari qui buvait trop, sans avoir de véritable travail (elle savait seulement dessiner), avec ses deux filles. Elle a bénéficié d'allocations. Elle a commencé à donner des cours de dessin, puis à faire des vacations dans un hôpital… Maintenant, elle est une spécialiste reconnue de l'art thérapie.

Nos ressources matérielles, amicales, personnelles, professionnelles… se révèlent en avançant. Les ennuis de tous ordres nous poussent à mettre en place de nouvelles aides, de nouvelles compétences. Attention toutefois à ne pas conjurer ses peurs en s'y surexposant, comme si, ayant le vertige, on décidait de faire un saut en parachute. Mieux vaut plus de douceur.

Quand vous craignez de ne pas avoir la force de faire face c'est en vous qu'il faut croire mais surtout en l'être humain, en ses incroyables capacités d'adaptation et de solidarité. Il y a des chocs, des malheurs mais aussi des mains tendues et des petits miracles…

10

Apprivoiser son chagrin et… agir

BIEN SÛR IL y a ces moments où l'on craque à l'idée de tout ce que nous avons perdu, de tout ce qu'il va falloir reconstruire. Nous n'avons plus l'envie ni l'énergie de lutter. Nous voyons tout en noir et notre comptabilité s'affole en pensant à tous les « échecs » présents, passés et même à venir. Sans aucun doute, nous exagérons la situation en pensant que « tout » s'écroule. Que nous ne remonterons « jamais » la pente. Que nous tirons « toujours » les mauvais numéros. Et pire, que nous ne valons pas la peine d'être aimés… Désespoir normal : le choc a été rude ! Mais il faut choisir son moment pour se laisser aller, savoir se reprendre à temps, ne pas se laisser dériver vers la dépression car il faut continuer d'aller au travail, de voir des gens. Gare aussi à une certaine complaisance amoureuse. La force d'une histoire ne se mesure pas à l'intensité du chagrin que provoque la rupture. On peut se remettre assez vite d'un grand amour dont nous acceptons la fin. Et s'enkyster dans la douleur d'une relation qui – depuis le début – nous a fait beaucoup plus de mal que de bien.

Ce qui fait du bien, c'est l'action pour cesser de ruminer… Et d'en parler. On a envie de se replier dans sa coquille mais on a besoin de partage, d'aller à la rencontre des autres, de voir que nous ne sommes pas seuls, de se rassurer sur sa propre séduction. Et puis c'est en parlant que l'on comprend ce qui nous est arrivé. Ceux qui se taisent mettent plus de temps à guérir : « Je n'ai pas fait face, j'ai ravalé, nié, refoulé… Je n'en parlais pas et j'ai eu tort. Faire face, c'est accepter d'en parler, tandis que moi, je me repliais sur la peur et la honte d'avoir été quitté », constate Gaétan.

Les larmes qui « nettoient »

Tout seul, on relie les mails, on regarde les photos, on se repasse le film de la relation… Chacun enterre l'histoire à sa manière. Les larmes font partie de la guérison. Elles ne sont pas forcément agréables, mais elles purifient. Elles permettent la libération des émotions. Une libération qui remet sur pied. Pierre raconte : « Il me fallait de l'action : le travail, je ne pouvais pas mais j'essayais de bouger, ce n'est déjà pas si mal. Je faisais du sport. Il ne faut pas rester statique sinon on coule. Et puis je me suis inscrit sur Meetic (un site de rencontres sur Internet). Voir défiler des têtes, c'est une fenêtre ouverte sur le monde. Parfois, je voyais une dizaine de filles par semaine, pour avoir de la tendresse. Quand ça a été mieux, je n'ai pas eu peur de pleurer, de raconter, de devenir une victime impudique. Il faut se montrer tel qu'on est (c'est bien parce qu'on montre de soi une image humaine), ainsi on se vide de toute sa douleur, de son pus. » Son pus ? « Oui, c'est un furoncle douloureux ce mal d'amour. La douleur n'est pas excitante, elle est laide parce qu'elle fait les idées pas belles : le suicide, sa nana se faisant tringler par d'autres… Soi, comme une serpillière sur laquelle elle s'essuie les pieds, soi, quantité négligeable, second couteau celui qui ne compte pas, celui avec lequel on joue. Tout cela est sale, douloureux. Pleurer, c'est s'en décharger. »

Si vous pleurez plus qu'au début, c'est que vous vous sentez plus forts pour le faire. Vous savez que vous pouvez craquer sans vous écrouler. Ce n'est pas que votre état empire mais que vous êtes en plein processus de guérison affective avec des moments où la cicatrisation fait plus mal parce qu'elle s'attaque aux endroits les plus sensibles : le manque physique, le « jamais plus » des bons moments, l'image de soi, la jalousie, etc. Il y a aussi des moments où l'on ne peut pas se permettre l'effondrement : devant les enfants, au travail, devant sa mère si fragile… Alors, on tient le coup pour s'écrouler quand tout le monde est parti. Mais au fait, si on a pu être forts pendant ces deux heures de solidité obligatoire, n'est-il pas possible de rester debout un peu plus chaque jour ? C'est à essayer en tout cas. À moins que nous soyons du genre à toucher le fond d'un état si lamentable qu'on finit par avoir hâte d'en sortir. Nadège raconte : « J'ai été très malheureuse, j'ai passé quatre jours enfermée chez moi à pleurer, les cheveux pendants, un vieux jogging sur le dos, avec l'envie de mourir. Je pensais que cela durerait des années. J'ai décidé de prendre un nouveau départ, de me faire plus séduisante. En deux mois, j'ai rencontré un autre homme, et le bon. »

> **LA TECHNIQUE DES « PETITS PAS »**
>
> Laissez-vous le temps de pleurer. Certains disent : « Je suis en arrêt, je n'ai pas fait l'amour depuis des mois tandis qu'il ou elle vit avec quelqu'un... » Eh bien, acceptez d'être en arrêt comme on est en arrêt maladie, le temps de panser cette blessure, de la cicatriser, d'être en convalescence. Fixez-vous de nouveaux objectifs faisables pour vous remonter le moral peu à peu, comme on se rééduque. On peut réapprendre à vivre normalement après un chagrin comme on réapprend à marcher après un accident : à petits pas. Essayez chaque jour de faire quelque chose dont vous pourrez être fier : vous être poussé pour sortir boire un café, téléphoner à une copine, effectuer une tâche administrative qui traîne depuis des mois, aller marcher juste un quart d'heure au début, etc. En rentrant, vous serez content de vous être boosté.

Entre le trop et le pas assez…

On nous a appris que nos sentiments ont barre sur nous. Que nous ne sommes pas responsables de ce que nous sentons. Parfois, c'est le cas. Quand nous souffrons de dépression chronique. Quand nous avons vécu des traumatismes infantiles. Alors, nous pouvons avoir envie d'en finir non pas pour mettre fin à notre vie mais pour mettre fin à la souffrance. Ainsi, nous pensons que seuls les autres peuvent faire notre bonheur et que, sans la personne qui était « toute notre vie », notre existence ne vaut plus la peine d'être vécue. Le désir de mourir est le comble du découragement, l'expression extrême de la perte de confiance en soi. Si nous en sommes là, il faut consulter d'urgence notre précieux médecin généraliste.

Tout en sachant que trop pleurer ou ne pas pleurer assez dénote un manque d'estime de soi. Nous pleurons trop quand nous nous sentons incapables de nous occuper de nous-mêmes. Nous ne pleurons jamais quand nous avons peur des larmes. Dans les deux cas, nous craignons de ne plus pouvoir nous maîtriser, de rester prisonniers de la tristesse. Ne pas pleurer du tout, évacuer le chagrin, tourner la page « sans avoir fait le travail », dit Nadège, entraîne une perte de contact avec nos sentiments de tristesse (et tant mieux) mais de joie aussi. On ne ressent plus rien. On survit plus qu'on ne vit. Cette solution n'en est pas une. Un jour ou l'autre, le deuil nous revient en boomerang. Pleurez si vous devez pleurer mais en essayant de ne pas vous faire de reproches. De ne pas vous mésestimez quand vous êtes en état de faiblesse.

TRISTESSE OU DÉPRESSION ?

La dépression arrive quand la colère se retourne contre soi, quand nous nous sentons battus d'avance. Plus d'espoir, pas d'avenir, aucune force pour retrouver un sens à la vie... Elle s'installe quand le pessimisme l'emporte sur toute autre vision. Quand nous refusons toute main tendue. Quand personne ne parvient à nous

→

convaincre de nos qualités et d'un futur plus ensoleillé. L'impuissance mène à la dépression. Croyez en vos propres forces. Ayez confiance en vos méthodes, même si elles paraissent farfelues. Vous seul au fond savez comment vous en sortir. Vous n'avez aucune prise sur l'autre mais vous en avez sur vous-même. Quoi que vous fassiez : vous étourdir, ne voir personne, pleurer ou ne pas verser une larme, travailler comme un fou ou lâcher du lest... c'est surtout votre état d'esprit qui compte. Pensez-vous la plupart du temps que vous allez vous en sortir ? Réussissez-vous à manger, à dormir de mieux en mieux ? Avez-vous l'impression d'avancer chaque jour un peu plus ? Si oui, ça va aller. Si non, consultez...

On possède en soi la capacité de se reconstruire mais elle ne se perçoit que petit à petit.

Réaliser que nous pouvons nous arranger pour aller mieux, que nous avons prise sur nos sentiments, que nous possédons la capacité de nous relever et même de nous faire du bien, que nous n'avons besoin de personne pour vivre des joies, des plaisirs, profiter de la saveur de vivre, est un tournant dans le processus de guérison. Florence en eut un jour la révélation : « C'était le matin. J'étais toute seule à la maison, je remâchais sur mon mari. Je me demandais comment il avait pu me laisser tomber, aller avec une autre femme. J'étais très mal, jalouse, hargneuse, puis je suis allée chercher mon petit garçon de 2 ans pour l'emmener sur la magnifique terrasse d'un musée. Mon fils était adorable. Il faisait beau. Il jouait à côté de moi. Et soudain je me suis dit : « Mais où est le problème ? Je ne peux pas tout apporter à un homme. Je ne suis pas toutes les femmes à la fois. Ça se comprend qu'il aille chercher d'autres choses ailleurs et… finalement, cela ne me gêne pas tant que ça. » J'ai été sidérée de voir que le mental avait beaucoup plus à voir avec mes activités qu'avec la séparation elle-même. Quand j'étais bien, quand je faisais quelque chose qui me plaisait, je pouvais même aller jusqu'à le comprendre, jusqu'à admettre que je n'étais pas la seule femme sur terre. »

Et quand elle ne faisait rien qui lui plaisait, quand elle se morfondait, Florence coulait. Comme elle, au fil des jours, nous devons sentir revenir un peu de joie, de bons moments, à mesure que nous nous adaptons à cette nouvelle situation, à mesure que nous l'acceptons, à mesure que nous faisons le point et trouvons nos propres solutions pour sortir de la rage et des larmes.

11

Vous vous sentez seul… ne le restez pas !

CEUX QUI DÉSERTENT notre vie nous laissent « amputés ». Forcément, ils habitaient nos pensées, notre quotidien. Ils laissent un vide palpable. Là où ils étaient, ils ne sont plus. Ils deviennent les fantômes de notre lit, de notre quartier, des restaurants où nous avons dîné, de leur place à table, à côté de nous dans la voiture… On se sent accompagné par… le vide. « Tout parle et rien ne répond » disait joliment Carine. Nous sommes sans cesse confrontés au manque, au silence, à l'absence. Certains se lancent dans une hyperactivité qui les distrait. Dans un premier temps, s'étourdir est une bonne idée. Le pire est sans doute le repli sur soi car il favorise les fantasmes, les idées pessimistes, le sentiment de solitude. Forcez-vous à sortir, à vivre même si vous vous sentez « à côté » : cette rupture sera l'occasion de consolider des amitiés, d'en tisser de nouvelles et… d'en abandonner certaines qui ne vous font pas de bien.

À cause de la rupture, on se sent plus instable, plus vulnérable et peut-être plus en demande de prise en charge par autrui. Des modifications surviendront dans les relations avec les amis du couple. Léa pendant des années a crié son insatisfaction dans un couple centré sur la prospérité matérielle où chacun avait son rôle : son mari au développement de sa carrière, elle à l'éducation des enfants… alors qu'elle voulait travailler, se moquait d'avoir un chalet à la montagne, une maison à la campagne, et une autre à la mer (problème d'incompatibilité de valeurs), d'autant qu'à la maladie de leur petite fille, elle s'est retrouvée absolument seule : Rastignac (l'ambitieux de Balzac) n'eut pas le temps – en un mois ! – de venir voir la Petite à l'hôpital. Bref, elle le trompe. Il hurle à la trahison. Des amis prêtent à l'épouse scandaleuse une chambre de bonne. Tous les autres lui tournent le dos comme si elle était une mère dénaturée et… une putain. Même son frère ne veut plus lui parler. Elle a trahi la cause bourgeoise à laquelle il adhère avec cœur malgré ses origines modestes. Elle craint que ses parents très simples, très catholiques, très investis dans le beau mariage de leur fille ne la renient eux aussi. Ils la prennent dans leurs bras : « Si tu n'étais pas heureuse… » La séparation a un impact puissant sur le paysage relationnel. Au début, c'est pourtant un grand moment de solidarité qui héberge l'un, écoute l'autre, dialogue, compatit, craint que l'un ne fasse une bêtise, prend les enfants pour qu'ils ne voient pas leurs parents déchirés… Certains couples envoient un joli carton pour prévenir toutes ces ruptures collatérales : « Nous nous séparons en toute amitié ; nous espérons garder la vôtre. » Angela a découvert avec bonheur « que nos amis étaient mes amis ; c'était génial ! J'ai appelé à l'aide et un véritable comité de soutien s'est mis en place pour me prêter de l'argent, par exemple ».

Encore faut-il savoir appeler à l'aide…

Comptez sur les amitiés anciennes et… nouvelles

« Je me suis énormément entourée. J'ai réquisitionné tous mes amis, j'en ai beaucoup parlé, à tout le monde. J'ai ratissé tous mes tiroirs relationnels. Il y a ceux avec lesquels ça n'a pas pris mais la plupart ont été secourables car tout le monde a vécu quelque chose qui ressemble à une rupture. Les gens se mobilisent. J'étais dans un état second. Je me suis invitée avec mes enfants chez des amis. J'avais un ancien professeur qui venait donner une conférence dans la ville où j'habite. C'était un ami très lointain. Je l'ai appelé en lui disant : « Puisque vous venez ici, il faut absolument que je vienne pleurer dans vos bras. » Il a eu l'air étonné mais il a été d'accord. Je ne mangeais plus, je ne dormais plus. Il m'appelait en me demandant si j'avais mangé, et quoi ? Tout le monde me donnait son avis sur ma situation. J'avais l'impression que quantité de gens faisaient la ronde autour de moi en me disant : « Il faut absolument que tu penses à moi, je suis là. Et que tu penses à toi aussi… une chose que je ne n'avais jamais eu le temps de faire jusque-là. »

Il y a donc toutes ces amitiés qui se nouent et celles qui se dénouent. François était très ami avec son beau-frère. Pourtant victime de sa sœur (elle l'a quitté en le laissant avec leurs trois enfants), il n'a jamais pu ne serait-ce que s'expliquer avec lui. « Il prenait le parti de sa famille de sang. Point final. » Une distance se crée parce que les centres d'intérêt commencent à diverger. Nous parlons de garde alternée tandis qu'ils racontent les Noël en famille. Certains peuvent aussi nous envier d'avoir osé mettre fin à un couple bancal, de retrouver une vie de liberté notamment sexuelle, un logement à soi, la liberté un week-end sur deux et nous fermer la porte (comme si en nous voyant, la tentation était trop forte d'en faire autant). Mais d'autres ouvrent la leur. Alicia ne comptait pas sur la solidarité des jeunes amis de son ex-compagnon. Pourtant, ils sont là. Ils lui font du bien et… du mal en lui révélant que la trahison ne datait pas d'hier, qu'ils étaient tous au courant qu'il avait « une jeune femme dans sa vie ». Ils lui racontent qu'ils ne cessaient de lui dire : « Préviens-la, c'est dégueulasse de lui faire croire que tout est comme avant. »

Difficile d'entendre que tout le monde savait et donc, mentait. Mais quel réconfort quand, la voyant si mal, ils refusent de la quitter, dorment avec elle de peur qu'elle ne fasse une bêtise. Certains soirs ils se solidarisent autour d'elle, à trois dans le même lit et sans la toucher bien sûr. L'un des jeunes copains de son ancien ami lui fait même une déclaration d'amour. Elle n'est pas prête à remplacer son jeune amant mais ça lui fait du bien de voir qu'elle est aimable, toujours désirable et même aimée. Des mauvaises mais des bonnes surprises, donc.

Faut-il en parler et à qui ?

Sur ce point, les avis divergent. Laurent considère que « ça ne sert absolument à rien. Les gens plaquent leur propre histoire sur la nôtre ou bien ils nous jugent (quand on est amoureux d'une femme mariée, par exemple, parce qu'on n'est pas légitimé à souffrir ; on l'a bien cherché !) ou bien encore ils donnent de très mauvais conseils. Certains m'ont dit : "c'est une salope, venge-toi !" D'autres ont affirmé que je ne m'en sortirais jamais sans tranquillisants (alors qu'à mon avis ces médicaments réduisent l'énergie, la force qui est en soi) ou bien encore ils essaient de consoler mais ils le font mal : une de perdue dix de retrouvées. Vraiment ? »

Florence, elle ne cherchait pas des conseils mais des témoignages. Elle voulait savoir comment les autres avaient vécu ces ruptures, comment ils s'en étaient remis.

« J'étais sincère, très intéressée par leur expérience de la séparation. Une expérience qu'ils se faisaient un plaisir de me raconter. J'ai constaté un grand partage autour de la souffrance de la rupture et ça m'a beaucoup aidée. Quelqu'un m'a dit : "Il faut absolument que vous vous habilliez très bien !" Alors je me suis mise à m'habiller avec soin. Avant, j'avais tendance à ne pas faire très attention. C'était une très bonne idée : bonne pour ma séduction, bonne pour mon ego et qui me donnait l'impression de changer quelque chose dans ma vie, d'avoir prise sur les événements.

J'étais réceptive à toutes les recommandations qui me permettaient de garder la tête hors de l'eau. Quelqu'un m'a dit aussi (en parlant de mon mari qui me quittait pour une autre femme) : "On n'arrête pas un amour qui flambe." À partir de là, je lui ai donné une sorte d'autorisation, je l'ai aidé à se sentir toujours un bel homme et cela a contribué à prouver que je suis une "grande dame !". D'autres me racontaient qu'assez vite ils n'avaient plus aimé et finalement été soulagés que l'autre soit parti, ce qui me donnait de l'espoir : bientôt j'aimerai moins, donc je souffrirai moins.

Un autre m'a raconté qu'il avait vu sa femme remplacer un à un les bijoux qu'il lui avait offerts par ceux de son amant… Une femme m'a dit qu'un jour l'homme qui la quittait avait éteint la radio en entendant *Ne me quitte pas*, la chanson de Jacques Brel, "cette fadaise" a-t-il dit. Toutes ces expériences me faisaient comprendre que je n'étais pas la seule à souffrir ; nous étions des millions à être passés par là. J'ai aussi repensé à une prof de danse de ma fille qui avait fait subir à son mari ce que j'étais en train de vivre. J'ai écrit au mari pour savoir où il en était : "Vous avez vécu ce que je suis en train de vivre, puis-je vous voir ?" Il a été gentil, de bon conseil. Nous nous sommes vus souvent ; le dialogue était facile. Je lui ai dit de manière assez culottée que j'avais envie de passer une nuit avec lui. Il n'était pas du tout amoureux de moi mais j'ai été enchantée de faire l'amour avec lui. Cela faisait quinze ans que je n'avais pas touché un autre homme que le mien et j'ai trouvé formidable d'avoir un nouveau corps dans les bras ».

Les 3 types de solitude

1. La solitude existentielle. Tout être humain se demande un jour ou l'autre quel est le sens de sa vie, pourquoi il est sur terre et s'il existe un recours à ses difficultés, un dieu

→

par exemple. Or ces questions se posent particulièrement en période de crises, donc de rupture. Grâce à elles, votre positionnement dans l'existence sera plus ferme ou différent. Sans le savoir, vous avez déjà des réponses : vos enfants, votre travail, vos parents et amis sont une raison de vivre... mais vous en trouverez d'autres.

2. L'isolement social. L'être humain a besoin d'être en contact avec les autres, de se sentir appartenir à un groupe. L'isolement aggrave le sentiment de solitude que vous éprouvez après avoir perdu un être qui comptait tant.

3. Le déphasage. Quand on change soudain de vie, de statut... on se sent en décalage et parfois incompris, surtout quand on vous conseille de tourner la page alors que le moment n'est pas venu. Écoutez les conseils avec indulgence et discernement, en vous demandant : « Qu'est-ce que j'en pense, moi ? » Quant à « passer à autre chose » oui, vous le ferez, quand le moment en sera venu.

Et pour ceux qui se replient sur eux-mêmes ? Comment apaiser ce sentiment de solitude ? Sachez que – à l'image de l'insomnie – il empire quand on s'en inquiète. Considérez-le comme normal, passager, surtout si vous en profitez pour faire le point. Essayez aussi de vous concentrer sur ce qui vous rapproche des autres plutôt que sur les différences : il a quelqu'un, moi je n'ai plus personne ; elle a une famille, moi je suis seul, etc. Certes, parmi vos amis certains n'ont pas vécu de chagrin d'amour mais tous peuvent comprendre ce qu'est la perte, la colère, la tristesse, le sentiment d'injustice, la peur, le découragement… Ce qui nous rapproche les uns des autres, ce sont nos sentiments pas nos modes de vie.

Et puis, les amis qui connaissent notre histoire ont un autre avantage : ils mettent de la réalité dans nos ratiocinations. Ils nous empêchent de nous enferrer dans le mythe d'une histoire passée. Ils lui remettent du plomb dans la cervelle et, de ce fait, peuvent nous faire un bien fou même si leur objectivité peut faire mal. « J'avais un ami qui me parlait sans cesse de la femme qui venait de le quitter en se lamentant, en affirmant avoir perdu l'âme sœur, la seule qui pouvait lui correspondre… En disant cela, il me montrait des photos, et encore des photos et soudain, j'ai réalisé que sur aucune de ces photos, bien qu'il soit à côté de cette femme "merveilleuse" qui était censée le rendre tellement heureux, il ne souriait. Je lui ai balancé ce missile pour faire exploser son mythe de la seule grande et belle histoire de sa vie puis je lui ai proposé de ne plus me parler d'elle, mais de lui… »

À l'inverse, si nous nous prenons seulement pour la victime ayant tout donné sans jamais rien recevoir, ils pourront relativiser : « Tout de même, je t'ai vue heureuse… » En entendant cette phrase, vous aurez moins l'impression d'avoir perdu votre temps, gâché votre vie dans cette relation à sens unique.

12

L'urgence, prendre soin de soi

IL EST UN RÉFLEXE très humain qui consiste à ajouter du malheur au malheur pour se rendre maître de la souffrance. Pour se donner l'impression de pouvoir la dominer. Non seulement nous sommes anéantis, blessés, humiliés mais nous allons parfois nous y complaire en ruminant un sentiment d'échec, en noircissant nos tableaux, en nous persuadant d'avoir « tout gâché ». À moins que nous ne tombions dans des superstitions décourageantes : « De toutes façons tous les hommes me quittent, je suis trop moche, trop vieille, trop ceci ou cela pour qu'on m'aime, jamais je ne retrouverai quelqu'un : même pas capable de... » Vous souffrez assez comme ça ; pas la peine d'ajouter une petite louche de venin à votre chagrin. Votre objectif principal doit consister à vous faire du bien, à vous encourager pour tout ce que vous arrivez à faire (et à donner) bien que vous ayez les ailes sciées et le moral à zéro. Ne manquez pas une occasion de vous féliciter pour tout ce que vous faites de beau et de bien, y compris pour ces toutes petites choses qui maintiennent la tête hors de l'eau.

Évitons aussi de penser en termes bien cruels pour nous : « J'ai été larguée, j'ai été plaqué, j'ai été abandonné » ; ils sont trop crus mais ils sont aussi à moitié faux car nous ne sommes jamais victimes à 100 %. Si nous nous posons tout à fait objectivement la question, ne pourrions-nous pas dire comme Florence que, finalement, nous non plus n'étions plus très heureux dans cette relation, ni très amoureux… Il faut y réfléchir en tout cas. Nous le ferons avec la conviction que ce travail sur soi est une preuve de caractère dont nous pouvions être fiers. Relevons la tête, assumons, faisons face sans avoir peur de penser surtout à soi.

Pas de pensées masos !

Il y a encore ce sentiment d'échec personnel qui nous taraude. « Les ruptures me laissent en proie à des ruminations terriblement négatives, je suis misérabiliste, je deviens victime, je suis la femme la plus malheureuse du monde, je me dis que la vie ne vaut pas la peine d'être vécue, qu'un esprit malin règne sur mon existence, qu'elle ne compte pour personne et que j'ai tout raté », raconte Isabelle. Cependant ce n'est pas un échec personnel, c'est celui d'un couple. Un couple dont la condition est d'être deux. Or, c'est l'autre qui s'est défaussé. Pas nous. Pourquoi faudrait-il porter tout le poids de cette rupture ? Et même si nous avons une part de responsabilité, pourquoi faudrait-il penser en termes d'échec ? Peut-être avons-nous eu raison de faire échouer cette relation qui – nous le verrons au temps des bilans – ne nous réussissait pas tant que cela... Certains divorces sont des actes de vie. D'autres relations sont destinées à être belles mais à ne pas durer. En quoi cette séparation devrait-elle changer la bonne opinion qu'habituellement nous avons de nous-mêmes ?

Il faut dire que nous sommes hypersensibles. Que tout ce qui nous atteint habituellement fait mal en dix fois plus fort. Comme si nous avions une caisse de résonance dans la tête et le cœur. Alicia (la dame au luthier) est très jolie mais le fait que son jeune fiancé l'ait quittée pour un « bébé » de 20 ans, lui renvoie son « âge » (43 ans) en pleine figure. Quand elle se retrouve abandonnée devant chez elle, assise sur le trottoir, elle se dit « qu'elle est comme une vieille pute trop usée pour être encore baisable ». C'est difficile à entendre même quand on se le dit à soi-même. Il y a aussi le refrain du « je rate tout ». Dans ces moments-là, nous oublions que les déliaisons sont aussi fréquentes que les liaisons. Que la rupture est une banalité y compris dans nos propres vies amoureuses. À combien d'histoires avons-nous mis fin ? Nous sommes devenus exigeants et avec raison. Nous voulons être heureux, n'est-ce pas légitime ? Désormais, la rupture fait partie de la vie amoureuse. C'est la vie ! C'est comme ça ! Est-ce une raison pour se donner des coups supplémentaires, se traiter de « vieille fille incasable », de « vieille pute », de « pauvre type » ? N'ajoutez pas de malheur au malheur. Ne devenez pas des superstitieux de la tragédie d'amour en prétendant comme

Frédérique qu'elle est « maudite » qu'elle « foire » tout ce qu'elle entreprend « en particulier avec les mecs ». Avec des idées pareilles, il est sûr que son moral ne remontera pas de si tôt.

TROUVEZ LES MOTS QUI VOUS CONSOLENT

Si ce malheur arrivait à quelqu'un d'autre, que lui diriez-vous pour apaiser sa peine ? Que la rupture fait partie de la vie sans doute et qu'il est tellement normal d'avoir de la peine ! Qu'on ne peut pas être lucide en plein chagrin mais qu'avec tant de qualités (trouvez les vôtres et si vous n'y arrivez pas, demandez à ceux qui vous aiment de remplir les blancs) il n'est pas possible que ce soit leur dernière chance, leur dernière histoire. Allez, faites un effort pour lister vos atouts, vos capacités d'amour. Listez encore tout ce que vous avez réussi (et seulement ce que vous avez réussi) et recopiez-le joliment, affichez-le quelque part chez vous ou mettez-le dans votre poche et relisez cette liste montrant que vous valez la peine d'être connu(e), aimé(e) dès que de mauvaises idées sur vous-mêmes vous reviennent à l'esprit.

Pour s'aider soi-même, il faut aussi réparer cette partie malade, blessée, amputée… « Un seul être vous manque et tout est dépeuplé », écrivait Lamartine. Ce n'est pas que vous êtes seuls mais que vous vous SENTEZ seul parce que celle ou celui qui imprégnait vos pensées, occupait votre espace visuel, sonore, mental s'en est allé (heureusement, les ruminations permettent en partie de le ramener à soi et de remplir les espaces vides). Il va s'agir de le remplacer peu à peu par d'autres pensées, d'autres objets, d'autres personnes. Et surtout de se recentrer sur soi-même. De se nourrir de pensées et d'actions positives pour remplir ce vide laissé par l'autre, de projets à soi, de pensées personnelles, de petits et grands plaisirs n'appartenant qu'à vous. Pas facile car on nous a appris à détester tous les mots qui commencent par « égo » : égocentrisme, égoïsme, etc. Et si c'était une étape indispensable ? Et si s'occuper de son ego consistait aussi à s'occuper des autres. Carine est médecin. Trois mariages, trois ruptures qui l'ont laissée sur le carreau. La seule chose sur laquelle elle arrive à se concentrer, c'est le travail. Alors, elle alterne des week-ends de repli sur soi pendant lesquels elle apprend à apprécier son appartement, son lit, ses lectures, ses contemplations, ses repas – pris dans son bain pour ne pas avoir le fantôme de son ex-compagnon en face d'elle à table –, et les jours de semaine, les vacances, où elle se donne « à fond » aux malades et dans une activité d'aide humanitaire au Sénégal. Égoïste Carine ? Bien sûr que non ! Égocentrique, oui peut-être si cela consiste à chercher par tous les moyens à se faire du bien.

Des activités réparatrices

C'est dans la solitude que Lou, 35 ans, gendarme, se reconstruit après avoir quitté l'homme de sa vie pour le laisser à sa famille, à son petit garçon qui allait naître : « J'ai eu très mal pendant deux ans. J'ai rompu avec ceux qui nous connaissaient, avec des copines qui tentaient de savoir où nous en étions. J'essaie de comprendre mes émotions, mes réactions et de les analyser. De me comparer avec ce que disent les livres pour savoir ce que

→

je ressens, j'écris et je me relis pour voir quels changements s'opèrent en moi. Je repense aussi à mon enfance, mon passé pour voir quelles en sont les conséquences sur ma vie présente. Ce qui m'aide encore sont les jeux Internet, le crochet, la broderie. Et puis, j'ai repeint mon appartement. Ça m'a fait du bien d'avoir l'impression de changer de vie en changeant de cadre. La structure de la gendarmerie me rassure, me protège aussi : porter l'uniforme me donne « de la tenue » extérieure et intérieure. Quant à la broderie et au crochet, cela revient à construire quelque chose, à me concentrer sur les points (mais je ne les mettrais pas pour m'habiller...). Les loisirs créatifs aident à se recentrer, à se changer les idées ; le dessin c'est bien mieux que deux heures de yoga. Et dans le jardin de la caserne, je plante mes fraises. »

Dans l'urgence, pour survivre, on peut remplir le vide mais par du « plein » qui nous détruit. Karim raconte : « Je me suis bourré la gueule pendant quatre mois, entre deux séances de piscine. J'ai une chance d'enfer d'avoir des amis. Certains soirs, ils arrivaient à quinze avec chacun une bouteille de champagne. J'étais cassé à mort. Comme enfermé dans une pièce avec rien pour en sortir. Une vraie serpillière. Je ressassais l'image de ma fiancée dans les bras d'un type. Le pire était qu'elle le présente à ses enfants. Je m'étais attaché à eux, j'étais déchiré. Elle m'avait positionné en tant que beau-père et soudain, plus rien. » Au début, on ressasse et on fait comme on peut avec les soutiens qui se présentent. Mais au fil des jours, il va falloir faire des efforts pour chasser de nos vies ce qui nous fait du mal comme les excès en tout genre, de boisson ou de rencontres « jusqu'à l'écœurement ; je me sentais comme une pute », commente Karim qui multipliait les conquêtes parfois sans préservatif comme pour se mettre en danger. Il arrive un moment où il faut en finir avec les compensations suicidaires pour ne garder que les meilleures : la piscine, les amis, les nouvelles rencontres mais savamment dosées et… protégées. À envoyer promener aussi tout ce ressassement de souvenirs qui ne mène nulle part : écouter « notre air » regarder les photos des jours heureux, etc. Vont beaucoup mieux ceux qui ne se chargent pas de tous les maux, ceux qui savent laisser passer les idées heureuses ou malheureuses, sans les juger…

Essayer la méditation ?

Marie a 60 ans. Elle a eu deux maris, trois enfants. Elle est seule depuis trop longtemps. Elle pianote sur « Copains d'avant » et retrouve un type charmant qu'elle aimait déjà en classe de troisième. Ils se revoient. Curieux, tous ces signes, tous ces points communs que l'on se trouve quand on veut les voir. Bref, ils se plaisent sur tous les plans. Marie est aux anges. Après un an de complicité, elle se fait remercier par un texto : « Restons amis. » Elle comprend qu'elle vient « de se faire jeter ». Elle pleure pendant trois jours, se sent vieille, moche, se dit que c'est la dernière fois de sa vie qu'elle a fait l'amour… et se reprend en main par la méditation de plus en plus pratiquée. Elle consiste, selon Marie « à laisser passer ses pensées sans les juger, sans les analyser et à se centrer sur ses sensations, même en faisant la vaisselle : l'eau qui coule sur ses mains, le bruit de l'éponge grattant la casserole, etc. ». Oui, grâce à cela, Marie va bien.

Troisième partie

Le temps des bilans

BON, NOUS SOMMES passés par la colère, la rage, les idées de vengeance, la tristesse voire la déprime presque la dépression. La bonne nouvelle est que vous avez survécu au pire, que vous ne vous êtes pas effondré durablement. Le plus pénible est donc passé. Certes, vous vivrez encore des passages difficiles mais vous pouvez commencer à vous faire du bien. Et à tirer, petit à petit, les leçons de cette histoire ; aucune n'est inutile. Vous êtes capable désormais de faire courageusement le point. Posons-nous maintenant les questions essentielles : que s'est-il passé pour que cette histoire finisse ? Où est notre part de responsabilité, si nous en avons une ? Pourquoi nous sommes-nous engouffrés dans une relation mal partie dès le début, si c'est le cas ? Pourquoi cette rupture – que nous voulions aussi tout compte fait – nous a-t-elle tant blessés ? Tout va mieux quand on comprend ce qui est arrivé, quand on devient suffisamment calme pour analyser à froid. Le temps des bilans est incontournable pour ne pas rester sur une impression d'échec, pour ne pas s'enkyster dans la haine et surtout pour ne pas retomber dans la répétition d'histoires d'amour plus destructrices que bénéfiques.

13

Quand nous n'y sommes pour rien

On a l'habitude de dire que les torts sont partagés à 50/50. Faux ! Pour qu'un couple dure, il faut être deux. Or notre partenaire a quitté le navire. Était-ce prévisible ? Pas toujours. Et si oui, croyons-nous naïvement que l'amour peut tout ? Que si nous avions fait ceci ou cela, il ou elle serait resté ? Allons donc, cela supposerait que l'amour se maîtrise par des manœuvres. On disait autrefois d'une femme qui gardait son mari : « Elle le tient ! », mais en était-elle aimée ? N'était-ce pas au prix de sa soumission ? Alors, on rompait aussi mais… en faisant chambre à part, en se détestant courtoisement. La belle affaire ! Quant à « n'avoir pas fait ce qu'il fallait… », ce serait prétendre qu'il existe des couples parfaits ayant « tout bon ». Mais non, ils ont comme les autres des fâcheries, des moments de creux, de moindre amour. La différence est simplement qu'ils sont décidés à rester ensemble pour le meilleur et pour le pire. Comprendre ne consiste pas à se chercher des torts mais à décoder ce qui est arrivé…

Parfois le décodage n'est pas compliqué : nous avons cru à cette histoire et nous nous sommes trompés de personne. Un chauffeur de taxi me raconte ses deux mariages. Sa première femme avait vingt ans. Lui aussi. Comment aurait-il pu savoir qu'elle buvait alors qu'aucun signe ne marquait encore son joli visage et qu'il n'avait aucune idée de ce que pouvait être la maladie alcoolique ? D'autant qu'elle prenait l'apéritif comme tout le monde, avec des copains, mais rien de plus devant lui. Elle a disparu au bout de deux ans, après un accident de voiture conduite en état d'ivresse, qui a rendu leur petite fille de deux ans paraplégique. Sa seconde épouse avait deux garçons. Pendant douze ans, ils ont vécu « normalement » dans une famille recomposée. Il gagne bien sa vie. Ils ont une maison, partent en vacances. Puis il perd son emploi de directeur commercial dans la robotique. L'entreprise met la clef sous la porte. Chômage. Deux jours plus tard, il rentre chez lui et trouve « comme dans les mauvais films américains » les valises faites, les plus jolis meubles déménagés et un mot lui expliquant qu'elle n'a plus besoin de lui : ses enfants sont élevés, elle veut vivre la jeunesse qu'elle n'a pas connue et… la vivre sans lui.

Ne pas s'accuser à tort

Charmant ! Une femme solidaire, formidable, pleine de gratitude ! Mais comment aurait-il pu prévoir qu'elle le lâcherait au pire moment puisqu'ils n'avaient jamais connu de difficultés particulières. Puisqu'elle l'avait aimé sans doute et autrement que par intérêt. À moins qu'elle ait toujours été intéressée mais alors, elle cachait bien son jeu. Quand on est sincère, on a du mal à croire que l'autre ne l'est pas.

S'il n'avait pas été licencié, peut-être seraient-ils restés ensemble toute leur vie. Encore qu'elle avait besoin d'autre chose : de s'éclater, de profiter… D'une seconde jeunesse très libre qu'un mari ne peut pas offrir. Il s'accuse, persuadé « que ces choses n'arrivent pas par hasard mais seulement à des hommes faibles ». Mauvais diagnostic ! Pourquoi se reprocher ce qui n'est que le déficit moral de sa compagne ? Et remettre en question – à cause des défauts d'un autre – ses propres qualités de sincérité et de gentillesse ? Ces accusations mal portées sont très préjudiciables à notre avenir amoureux. On finit par se sentir peu aimable mais aussi par porter des jugements hâtifs sur « tous les hommes, toutes les femmes… ». D'ailleurs, écœuré par ces deux expériences, il a fait depuis vingt ans une croix sur l'amour. Il ne conçoit plus le sexe que « pour l'hygiène ». Et se conforte dans ses idées en ne parlant de ses mésaventures qu'avec des copains ayant connu des expériences similaires. Est-il heureux ? Bien sûr que non ! Mais au moins, il est tranquille et ne risquera plus de se faire avoir.

Ce qu'il pourrait se dire ? Qu'il manquait d'expérience pour débusquer l'excès de boisson de sa première épouse et qu'il manquait tout autant d'expérience pour soupçonner l'esprit mercantile de la seconde. Il pourrait se dire aussi qu'il y a des femmes adorables qui boivent raisonnablement et gagnent suffisamment bien leur vie pour rester même quand le compte en banque de leur mari a des trous d'air…

Certaines histoires ne prêtent à aucune remise en cause personnelle. On peut simplement constater : « C'est comme ça ! »

Et faudrait-il que Pauline se sente coupable puisque son mari l'a quittée après dix ans d'amour incontestable et deux enfants ? Ils sont médecins tous les deux. Ils écrivent des livres ensemble, partagent le même cabinet. Ils ont acheté une jolie maison, leurs enfants vont bien. Les belles-familles sont amies ; les dimanches sont animés, les vacances aussi. Pas de nuage à l'horizon… quand Pascal annonce qu'il s'en va. Pauline n'est pas du genre à hurler, elle a le sang-froid de demander une explication. Pascal fait alors son coming-out. Il est attiré par les hommes. Il vient d'en rencontrer un dont il est tombé amoureux. Elle pourrait se remettre en cause en faisant de la psychologie de comptoir, en pensant que ce n'est pas « un hasard » si elle est tombée amoureuse d'un homo. Heureusement, elle n'a pas ce genre de tentation. Elle a été heureuse dans ce couple, y compris sexuellement, sauf les derniers temps. Il est vrai que le côté féminin du caractère de Pascal ne lui déplaisait pas. Elle déteste les dominateurs, les machos… mais pourquoi remettre en question ce critère légitime ? Les hommes qui l'attirent sont doux, ils aiment l'intimité, le partage, mais certains hommes sexuellement virils ont ce caractère. Remettre en cause sa féminité serait déplacé et inutilement douloureux. C'est lui qui a changé, qui s'est révélé…

La faute à pas de chance

Certains événements de vie brisent aussi des couples. Ils n'y sont pour rien. Un drame vient frapper et l'un des deux ne parvient pas à assumer la situation. À qui la faute ? À personne, vraiment.

À sa première permission de sortie de l'hôpital, Angela se sent revivre. Elle retrouvait l'air, la lumière et… son amoureux était là. « Il m'a prise dans ses bras, il y avait si longtemps que je n'avais pas retrouvé son corps et lui, le mien. C'était fort, si fort ! Nous avions besoin l'un de l'autre. »

Entre chimio et opérations, ils font des petits voyages « quels bonheurs que ces échappées ! » La dernière opération consiste en une ablation d'un gros morceau de foie. Elle sort plus tôt que prévu mais extrêmement diminuée : « J'habitais au 4e étage sans ascenseur et lui au rez-de-chaussée. Il m'a proposé de venir m'installer chez lui le temps de ma convalescence. Mais là, j'ai senti que ma poche était un handicap. Il y a les fuites, les odeurs, les accidents techniques. J'avais beau mettre une jolie écharpe quand nous faisions l'amour. Et puis il y avait son fils de onze ans. Je marchais à très petits pas. Je devais être impressionnante. Il a eu peur de moi, peur de la mort. À ce moment-là, j'ai compris que je pouvais être "contagieuse"… »

Le soir de ses cinquante ans, Lucas l'appelle et lui dit : « J'ai craqué. Je n'ai pas arrêté de pleurer. Trop c'est trop, je suis à bout ! »

Ils partent à la montagne et elle sent un passage à vide. Elle pense qu'ils vont rebondir mais il lui dit qu'il ne peut même plus la toucher. « Je suis dans une dépression effroyable. J'ai de la tendresse pour toi mais il n'y aura plus jamais d'amour. Tu as réveillé en moi des choses trop anciennes et douloureuses. L'amour c'est donner-recevoir. Et je ne peux plus donner. Je suis à bout... »

Ils ont beaucoup parlé et beaucoup pleuré. Puis il s'est éloigné en écrivant une lettre magnifique au fils d'Angela pour lui dire que sa mère était une femme extraordinaire mais qu'il n'en pouvait plus. Cependant, il aimerait bien garder le lien avec lui parce qu'il l'appréciait beaucoup.

Comment savoir d'avance ce qui sera « mauvais » pour le couple ?

Voilà comment un drame peut détruire un amour sans que personne n'en soit responsable. Angela se dit parfois qu'elle n'aurait pas dû lui en demander tant... Mais parfois la maladie soude les couples à jamais et personne ne fait de dépression, au contraire, l'amour et la vie ensemble prennent un sens nouveau. Comment prévoir ce qui sera « mauvais » pour le couple ? Ces deux ex-amants sont des personnes humainement extraordinaires. Leur amour a été exceptionnel mais la vie (et la maladie) les a séparés. Et personne n'y peut rien.

Des histoires comme celle-ci sont innombrables. Bernard et sa femme s'étaient, eux aussi, mariés pour la vie. La malchance a fait qu'ils ont perdu deux enfants l'un à sept mois, l'autre à la naissance. Elle s'est repliée sur son chagrin et ne s'en est jamais remise. Lui est devenu encore plus vivant. « Je n'ai jamais autant cru à la vie. J'étais plein de désir et elle, bof ! Pour moi, le sexe est la vie même. J'en suis boulimique, épicurien. Je pianotais sur le minitel rose. Je fantasmais sur ce qui pouvait se réaliser faute de pouvoir le vivre dans la réalité. Mais je culpabilisais et je lui en voulais de m'empêcher de vivre. Je ne pouvais pas m'accomplir. J'étais en manque tout le temps. Je lui en disais quelques mots mais dans les années 70-80 on ne parlait pas de ces choses-là. Je ne l'aimais pas moins. J'éprouvais l'amour normal que l'on éprouve pour quelqu'un avec qui on est bien. Néanmoins, j'ai tout de suite compris que ces deux enfants perdus si jeunes (nous n'avions que 22 ans), étaient un lien qui allait nous unir autant que nous séparer. » Deuils, chômage, maladie... De certaines ruptures, la vie est responsable plus que nous.

LES BÉNÉFICES D'UNE THÉRAPIE DE COUPLE

Quand un drame nous arrive et que l'on s'éloigne l'un de l'autre, il est intéressant de voir ensemble ou séparément un thérapeute de couple ou un psychothérapeute personnel. Il peut aider à verbaliser les « trop pleins » de toute sorte qui, sans ce tiers, ne pourraient pas se dire ou s'entendre tant le chagrin est grand, et les difficultés insurmontables. Mettre des mots sur les maux aide toujours la peine et... le couple. Néanmoins, toute la difficulté est de consulter avant que le drame ne nous ait trop éloignés, avant que chacun ait trouvé à se guérir autrement : dans l'infidélité, la fuite dans le travail, la religion, etc. L'autre écueil est qu'il faut être deux à accepter d'en parler. Quand l'un ou l'autre est réfractaire, on ne peut rien faire pour le couple. On ne peut que s'aider soi.

14

Quand l'inexpérience nous a joué des tours

Souvent les ruptures sont dues à l'inexpérience ou à la certitude que notre amour est immuable. On croit tellement que les choses sont acquises qu'elles se défont. Pourquoi ? Parce que « l'être humain a un besoin égal de changement et de sécurité », constate la psychanalyste Sophie Cadalen. À vouloir figer son partenaire et la relation dans l'immuable, on les prive d'air. Mais à leur donner trop de liberté, on les prive du confort affectif dont ils ont besoin. Les couples aguerris le savent bien ; chacun joue sur l'amour absolu et… sur le mystère : « Je suis à toi pour la vie mais qui sait ? » Quant à une mise en couple très précoce, elle fait douter : et si l'amour était autre chose que ce que je vis ? Enfin, il y a ces crises qu'on ne sait pas gérer parce qu'on est trop jeunes et donc démunis. Est-ce une faute ? Non, une erreur… de jeunesse. On apprend à aimer au fil des années, des expériences. Parfois, il faut plusieurs ruptures pour savoir mieux s'y prendre avec soi, son partenaire, et cette relation de couple pas toujours « évidente ». Comme il serait bon de pouvoir revivre certaines histoires avec l'expérience acquise aujourd'hui. En étant avertis de tout ce que les séparations nous ont appris.

Cédric a le sentiment d'avoir gâché son histoire d'amour en n'entendant pas les appels au secours de sa femme qui traversait l'une de ces redoutables crises existentielles qui nous rendent si fragiles en soi, et si fragiles à deux. Elle commence par ne plus se plaire, trouve que ses seins ont tendance à « tomber ». Au lieu de la rassurer, de lui faire plus souvent l'amour, de lui dire à quel point il la trouve belle et à son goût, il… lui offre une opération de chirurgie esthétique. C'est généreux mais inadapté. Ensuite, elle commence à dire qu'elle a raté sa vie professionnelle. Au lieu de l'aider à relativiser, de constater qu'elle n'a cessé de progresser… il plaque ses propres ambitions sur son problème à elle : elle pourrait reprendre des études, changer de voie.

Les doutes de sa femme se creusent encore un peu plus. Puis il part quelques mois en mission, « une opportunité unique ». Elle l'appelle tous les soirs. Et parfois, le dérange : il préférerait se détendre avec des collègues. Il l'écoute sans doute un peu distraitement… Enfin, il a ce dernier examen à passer, celui qui clôt des années d'efforts. Il est tellement important pour lui de réussir ! Il remet à plus tard sa présence, son affection sans se rendre compte qu'il la perd…

Parfois la vie nous sépare. Parfois ce sont nos mauvaises priorités. Non pas qu'il faille être sur la brèche 24 heures sur 24 lorsqu'on est en couple (ce serait épuisant !) mais il est des moments où vraiment il faut être là parce que l'autre va mal tout simplement. Cédric l'a compris trop tard. Sa femme a trouvé plus attentif que lui. Une erreur qu'il ne commettra plus. Il a appris la leçon qui servira à une autre… Dommage !

« J'ai appris que rien n'est jamais acquis et que les gens ne nous appartiennent pas. »

Régis, lui aussi, se croyait marié pour la vie avec une jeune femme qu'il adorait. Ils se sont mariés à vingt ans, ont tout découvert ensemble avec ravissement : le couple, la sexualité, se voir beau et belle dans le regard d'un autre. « Jamais personne ne m'aimera comme elle m'a aimé », écrit Régis sur le blog qu'il a créé après sa rupture sur le site aufeminin.com, pour que d'autres femmes lui expliquent qui était la sienne, ce qui s'était passé dans son couple ; ils s'aimaient si fort tous les deux qu'ils croyaient leur amour indéfectible.

Et puis arrive la crise qu'ils n'ont pas su gérer. Après dix ans de mariage, ils cherchent à faire un bébé, sans succès. Ils consultent et elle apprend très brutalement qu'elle ne pourra jamais avoir d'enfant. Lui, propose aussitôt d'adopter. Elle refuse catégoriquement et au lieu de chercher à comprendre, à temporiser, au lieu de lui donner le temps d'encaisser cette blessure personnelle, il s'indigne : ainsi, elle veut le priver de sa paternité ! De son côté, elle prend peur. Une femme qui ne peut pas avoir d'enfant, c'est sûr on va l'abandonner… C'est ainsi qu'elle va provoquer ce qu'elle redoute le plus : la rupture et aller chercher la consolation et la certitude d'être aimée pour ce qu'elle est, infertile notamment, auprès de l'amoureux transi qui l'accepte sans condition. Trompé, Régis entreprend le travail de désamour qui doit suivre la séparation pour en guérir, pense qu'elle est une « salope » jusqu'à ce que son blog et les réponses qu'il y trouve lui fassent comprendre leur erreur à tous les deux, leur inaptitude à surmonter ensemble la première crise que connaissait leur amour.

Après être passé par toutes les couleurs du sentiment : colère, tristesse, envie de se dépasser dans le travail, le sport, le suivi d'un régime draconien pour se rendre plus séduisant… il constate qu'elle est avec quelqu'un, heureuse depuis quatre ans tandis qu'il est seul. Là aussi les conclusions qu'il en tire ne peuvent pas l'aider : « Quand on a un physique comme le mien… » Il ne veut pas voir que si une femme a pu l'aimer, une autre le pourra encore. Bien sûr et tant mieux, ce ne sera pas le même amour puisqu'ils ne seront pas les mêmes personnes ; ils n'auront pas le même âge, plus la même « pureté », la même « confiance ». Leur amour sera plus adulte mais aussi plus durable peut-être…

Nous donnons raison à nos peurs les plus fortes

Quand nous connaissons mal nos points de fragilité, quand nous n'avons pas l'expérience de nos comportements amoureux, nous avons tendance à donner raison à nos peurs les plus fortes et à fabriquer ce que nous redoutons le plus à savoir l'indifférence, le rejet, l'abandon et… la rupture. Il faut dire que tant de divorces autour

→

de nous n'arrangent rien. Certains sabotent les histoires fortes « puisque de toute façon ça finira ». Héloïse, fille de divorcés, ne croit pas au couple durable. Avec son copain qu'elle aime pourtant passionnément, la rupture arrivera c'est sûr. D'autres disent : « C'était trop beau pour être vrai. » C'est ainsi que l'on devance la catastrophe "obligée" : on quitte par peur d'être quitté. Notre attitude dans l'amitié peut nous renseigner sur nos points faibles en amour. Héloïse agit de même avec ses amis. Elle n'appelle jamais la première, ne pense pas à donner de nouvelles. À la longue, les gens pensent qu'elle ne tient pas beaucoup à eux et se lassent d'avoir si peu de preuves d'affection. Son dernier chéri, Héloïse l'aimait passionnément mais... en silence. Quand ils étaient tous les deux, elle était réservée, ne saisissait pas les perches qu'il lui tendait en parlant maison, bébé, avenir. Elle restait silencieuse si bien qu'il ne savait pas à quoi s'en tenir. De retour chez elle, elle s'imaginait avec lui dans une grande maison mais... il n'en savait rien. Il l'a quittée sans démonstration en ne répondant plus aux lettres, aux coups de fil qu'elle s'est enfin décidée à lui donner mais... trop tard. Prenons conscience de la responsabilité qu'ont nos peurs sur la nature de nos relations.

C'est ça l'amour ?

Certains n'ont aucun doute : l'amour c'est ça ! Du désir, du plaisir, de la complicité… Pour eux, c'est une évidence. Pour d'autres c'est une question qui les taraude : est-ce que c'est ça aimer ? De ce point de vue, les couples qui se sont rencontrés très jeunes sont particulièrement vulnérables après dix, quinze ans de mariage. Valérie raconte : « Quand mes parents se sont séparés, j'avais quinze ans. Ils se sont déchirés. Mon père est reparti avec son premier amour. C'était la belle-sœur de ma mère. Avant leur divorce, j'avais été amoureuse d'un garçon de 16 ans. Mais le divorce a laminé cet amour. Je faisais tout pour que ça ne marche plus. Puis à 17 ans, j'ai rencontré Patrick. Il était fou de moi. Dès le premier baiser, je lui ai dit : de toute façon, tu me quitteras. Fatalitas ! Il était le premier homme de ma vie. Ensemble, nous avons découvert les angoisses du travail, le premier appart, les enfants, la sexualité, les voyages, l'engagement politique. Et puis il y a eu ce doute comme quand on doute de croire en Dieu. Soudain, on se dit : je suis passée à côté de ma vie. J'ai pris un amant et je me suis rendu compte que je n'aimais que mon mari mais lui, de son côté, connaissait une fille qui était très amoureuse de lui. Il est passé de l'une à l'autre. Nous avons fait un voyage génial au Canada avec les enfants. En rentrant, il m'a dit : “Je ne t'aime plus !” J'ai cru crever. Il est parti avec elle puis il est revenu. Quand il était avec moi, il pensait à elle. Et quand il était avec elle, il était malheureux… Nous nous sommes séparés. La conclusion que j'en tire ? Je crois qu'il faut vivre l'amour simplement. Les bons moments comme ils viennent. Et c'est ainsi qu'un couple dure. Il faut savoir que son homme n'est jamais acquis. Ni le bonheur et, surtout, qu'on n'est jamais à l'abri d'une connerie. »

15

Quand nous choisissons mal…

CERTAINS PARTENAIRES, certaines histoires sont à fuir. On le sent dès le début : cette relation sera compliquée, invivable, destructrice. À moins qu'elle ne soit à durée déterminée : homme marié, femme amoureuse (encore et pour toujours ?) de son ex-grand amour, problème de longueur d'ondes – l'un veut des bébés, l'autre pas. Ils cherchent l'aventure, nous la sécurité. Lui, c'est pour le sexe et elle pour l'amour… Malgré tous ces signes de mauvais augure, on s'accroche en pensant que l'amour peut tout, qu'il ou elle finira par changer et par nous aimer comme nous voulons être aimé. Attention, blessure d'enfance à l'horizon. Parfois nous rejouons dans nos amours présentes des paris bien anciens. Ces amours finissent mal, en général. Quelle souffrance dans la rupture mais quelle souffrance avant aussi.

Reconnaissons que parfois tout a mal commencé. Dès le début, nous avons su que cette relation serait compliquée, difficile, passionnelle… ou encore qu'il n'y aurait pas d'amour vraiment réciproque. Paméla se souvient : « Je sentais une réticence. J'avais très envie de partager un quotidien harmonieux, de vivre avec un homme qui m'accueille. Or, il avait un appartement très zen dans lequel je sentais bien qu'il n'y avait pas de place pour moi. Moi, je venais du Midi. J'avais un besoin de verdure, la nostalgie d'une maison ouverte dans laquelle des amis passent à n'importe quelle heure du jour ou de la nuit. Il m'a semblé qu'il n'était attaché à rien, alors que je suis casanière, aimant mes objets, mon environnement… J'ai senti que cet homme ne voudrait jamais vivre avec moi mais notre amour naissant était si fort ; je pensais qu'il changerait. Après tout, il avait bien vécu avec une femme une quinzaine d'années… ».

On réussira à les faire changer…

Le croire est notre pire erreur. On ne change jamais personne. À notre décharge, certains pensent sincèrement qu'ils pourront vivre à notre diapason mais l'expérience prouve que les réticences du début demeurent à la fin et sont souvent la cause de la rupture. Notamment dans ces histoires où les modes de vie, les désirs sont incompatibles. Mais nous ne voulons pas nous attarder à ce « détail ». Nous oublions ce qui nous a mis la puce à l'oreille. On refuse de s'arrêter à l'anecdotique pour se concentrer sur l'essentiel : le partage, le désir, les moments merveilleux… avons-nous tort, vraiment ?

Est-ce que ce bonheur suprême ne valait pas le prix que nous l'avons payé ? Alicia-Shéhérazade a toujours su que cette histoire ne pourrait pas durer. Son jeune amoureux ne lui a pas caché son désir d'avoir une famille, des enfants. Ses filles à elle, ne pouvaient lui suffire. Elles avaient déjà un père. Il les avait connues adolescentes. Il voulait devenir papa, voir sa femme s'arrondir, participer à la naissance de son propre bébé, avoir la joie de donner un biberon, de découvrir les premières dents…

La rupture a été brutale et le mensonge d'une double vie secrète vécu comme une trahison mais au fond, la surprise n'a pas été totale même s'ils avaient parlé d'adopter. Peut-être faut-il s'attacher à ce qui est dit dans les premiers temps et ne jamais l'oublier pour ne pas tomber de trop haut ? Savoir profiter des années bénies sans se faire trop d'illusions sur un avenir.

Lou a eu la sagesse de mettre un terme à une magnifique relation avant d'en arriver à se haïr, à salir la relation pour parvenir à se quitter. Elle savait que son amant avait une petite fille et que sa femme attendait un bébé. Elle ne se sentait pas la force de lui faire renoncer aux siens. D'ailleurs, était-elle capable de lui offrir le même bonheur ? Elle, si indépendante. Elle, ayant « besoin d'air ». Elle a rompu. Elle aurait aimé qu'il lui demande de ses nouvelles mais « demander des nouvelles » est une manière de renouer. Alors, elle est allée regarder sur le site « Copains d'avant » où elle l'a vu en photo avec sa femme, sa fille et… le petit garçon blond aux yeux bleus qu'elle aurait aimé lui donner. Elle a pleuré bien sûr mais en étant fière de le voir si beau, si souriant avec son fils dans les bras.

Et si certaines histoires n'étaient pas faites pour durer ?

Parfois, il y a beaucoup d'amour mais les choix de vie sont incompatibles. L'un veut suivre son chemin, ne pas démolir ce qu'il a déjà construit... C'est son droit le plus légitime même si ça nous fait mal. Sommes-nous coupables d'avoir mis un pied dans cette relation sans avenir ? Bien sûr que non ! La vie offre-t-elle tant d'occasions de proximité avec un être si cher ? On a le droit de son côté de vouloir goûter au moins une fois à ce qui fait le sel de la vie, à savoir la vraie rencontre homme-femme. Même si nous savons, au fond de nous-mêmes, que sa durée de vie est limitée. Peut-être vaut-elle d'en payer ce prix-là ? Certes la fin sera douloureuse mais on pourra se réjouir d'avoir au moins une fois dans sa vie « connu ça ».

D'autres fois, nous sommes venus nous jeter dans la gueule du loup. Un loup qui ne pouvait pas nous convenir mais qui nous attirait irrésistiblement. Les exemples sont innombrables et responsables de la plupart de « ces histoires d'amour qui finissent mal en général » selon les Rita Mitsouko. Lou a eu une enfance éprouvante. Sa mère ne l'a ni désirée ni aimée. Elle avait le tort de ne pas être un garçon, de ne pas être assez blonde, de ne pas avoir les yeux assez bleus. Comme si l'amour maternel était sous conditions, des conditions que sa petite fille ne remplirait jamais. À cause de cet « accident » que fut sa naissance, la maman a dû épouser l'homme alcoolique et violent qui l'avait engrossée : un routier, ce qui permettait à l'ambiance pesante de cette famille de connaître quelques moments d'accalmie.

Lou a rencontré très jeune un garçon qui tomba très amoureux de cette jeune fille menue à la force de caractère peu commune. Mais il faut croire que le passé nous rattrape. Ce bonheur était trop beau pour elle. Pour un flirt avec une autre, elle l'a boudé. Il l'a suppliée mais par orgueil, elle l'a repoussé. « Une idiotie » dit-elle aujourd'hui. Peu sûre de pouvoir être aimée (il faut dire que son histoire ne la prédisposait pas à se croire aimable), elle rencontre alors le père de ses enfants. Un homme perdu, mélancolique qu'elle s'efforce de soutenir et d'aider. N'est-ce pas ça l'amour : jouer les infirmières ? En tout cas, c'est la forme de relation affective dont elle avait la plus grande expérience. Elle, dans le rôle de celle qui console sa mère déçue, relève son père pris de boisson… Elle ne voit pas tout de suite la corrélation entre son enfance et son présent amoureux.

Jusqu'au jour où elle découvre que son mari boit trop, lui aussi, que sa famille est dépressive (au point que son frère se suicide douze jours avant le mariage). Elle pensera à le quitter plus tard mais elle attend un second bébé. Elle craint le qu'en-dira-t-on dont sa mère a tant souffert : et si on venait à penser qu'elle attendait l'enfant d'un autre ?

Les relations qui cherchent à réparer une enfance douloureuse sont toujours houleuses : l'un essaie de changer l'autre… qui s'y refuse.

Il arrive souvent que l'on retourne dans son couple au mode relationnel le plus marquant de son enfance. C'est ainsi que des femmes peuvent constater au bout de quelques années : « J'ai épousé ma mère. » Parfois cela donne de belles histoires. On rencontre un homme « froid » comme son père. Une femme aussi dépressive que l'était sa mère… En espérant gagner cette fois le pari impossible de son enfance : tirer de l'amour d'un cœur de pierre, faire renoncer un malade de l'alcool à son antidépresseur privilégié. Quelle réussite ! Quelle fierté ! Avoir changé quelqu'un par amour. Hélas, c'est une loterie à laquelle on perd plus qu'on ne gagne et que d'énergie dépensée !

POURQUOI FAIT-ON DE MAUVAIS CHOIX AMOUREUX ?

• **Pour soigner une blessure d'enfance**, rejouer au présent une relation subie autrefois : indifférence, déprime, violence, humiliation... mais dans l'espoir cette fois de gagner la partie en rendant amoureux celui qui ne sait pas aimer, la gaieté au déprimé, la sobriété à l'alcoolique, le respect et la douceur au violent... Pari dangereux et presque toujours perdu : on ne change personne !
À moins qu'il ne le veuille.

• **Pour soigner une blessure d'amour**. On a eu tant de peine que ce soit fini que l'on se précipite sur le premier (ou la première) qui semble nous choisir. Pour oublier. Mais cette histoire sera-t-elle suffisamment forte pour remplir sa mission ? C'est possible mais risqué.

• **Pour soigner une blessure narcissique**. On se trouve moche, bête, sans intérêt, etc. Et voilà qu'on nous dit les mots qu'il faut. On nous remplit de compliments, on dope cette confiance en nous si déficiente. Et puis d'avoir été « élu » ne prouve-t-il pas notre valeur ? Dépendance et sérieuse déprime en vue si on vous lâche. Alors, vous serez « moins que rien ».

→

- **Par peur de la solitude et… de l'image.** On se précipite sur l'homme qui paraît providentiel parce que l'horloge biologique tourne, parce qu'on a l'impression qu'une vie célibataire sera honteuse ou insupportable… Trop de précipitation nous entraîne dans de nombreuses histoires délétères ou d'un ennui si profond !

Il n'y a pas de fautifs dans ces relations décevantes mais seulement des blessures anciennes à regarder en face et à soigner, souvent avec l'aide d'un thérapeute car nous arrivons rarement tout seuls à savoir quels schémas nous rejouons.

La peur d'être seuls

Autre grande responsable des ruptures : la précipitation. Cette fois, c'est la solitude qui nous effraie, le vide, le futur, la perspective de rester seuls toute notre vie, de ne jamais avoir d'enfant, une compagne ou un compagnon pour partager la journée, les vacances, les joies, les peines… C'est après une perte amoureuse que nous sommes les plus vulnérables à ces amours précipitées. Pour fuir un chagrin d'amour, on veut à tout prix croire que cette histoire est la bonne. On s'applique à ne retenir que les éléments positifs, la beauté physique de la personne rencontrée, la passion sexuelle… en fermant les yeux sur les points dérangeants.

Parfois, c'est aussi pour fuir une autre difficulté, celle d'un deuil, par exemple. Sylvie raconte : « J'ai rencontré un homme quelques mois après le décès de ma mère. J'avais 27 ans. La rencontre de mon futur mari m'a offert une chance unique de noyer mon chagrin dans la passion pour… quelqu'un d'arrogant et d'exigeant. J'ai donc plongé tête baissée dans cette relation qui fut difficile dès le début. J'ai accepté notamment d'être humiliée par des réflexions désobligeantes devant mes amis, de ne jamais poser de questions sur son emploi du temps, toutes choses qui auraient été inconcevables avant de le rencontrer. Et dans mon cas l'opportunité de me « glisser » aussi dans une nouvelle personnalité en devenant « la femme de… », la « belle-mère de… » son petit garçon. J'ai eu un jour la tentation de jeter mon sac à main par la fenêtre de la voiture pour en finir symboliquement avec mon ancienne personnalité. Tout cela étant renforcé par le fait que j'avais perdu mon père à 11 ans et que cet homme plus âgé et autoritaire comblait ce manque à sa façon.

J'ai souffert en plus d'être trompée plusieurs fois. Alors, j'ai compris que je m'étais fourvoyée mais nous avions une petite fille ; il était trop tard… J'étais dans une impasse. Je n'avais plus la force de partir, d'élever un enfant seule. Ne me restait que celle de contourner cette souffrance et de rester en tentant d'aimer encore cet homme… Nous avons essayé de "reconstruire" puis mon mari a rencontré une autre femme et m'a quittée ». Mais… Sylvie s'est à nouveau jetée « tête baissée » dans une nouvelle relation. « Il était plus jeune que moi cette fois et j'ai été séduite par sa gentillesse, dont j'avais fait un critère essentiel depuis ma rupture. Malheureusement, en me fixant sur ce seul critère, je n'ai pas vu le reste. Lui aussi aimait les femmes… »

La relation paravent

Il arrive que l'on choisisse son partenaire en réaction à une difficulté que l'on porte en soi. Et si l'on épousait, par exemple, un déprimé pour masquer sa propre tendance aux idées noires ? Tant que nous soutenons l'autre, nous ne voyons pas que nous souffrons du même mal que lui. Le tristounet, le rabat-joie, le dépressif chronique ce n'est pas nous mais l'autre. Le fait de soutenir sa « moitié » (qui pour une fois porte bien son nom puisque nous sommes les deux parties d'un même symptôme) aide à supporter son propre mal. Un mal qu'on ignore ; ce problème étant imputé à l'autre. Ainsi, nous nous sentons forts. En tout cas bien plus forts que notre conjoint... Sans le savoir, nous le maintenons dans la déprime en le privant des ressources qu'en lui-même il pourrait trouver. Mais un jour, lui aussi peut se rebeller et nous laisser face à nous-mêmes. À moins qu'allant bien mieux nous nous lassions de soutenir quelqu'un qui, lui aussi, nous ramène à la tristesse de vivre. Dans ces jeux à deux, personne n'est fautif mais tout le monde est malheureux, en y trouvant son compte.

Et puis il y a tous ces amoureux toxiques qui nous font un mal de chien. Il faut beaucoup de temps pour comprendre que leur logique n'est pas la nôtre. Avec naïveté, nous pensons parfois que tout le monde a besoin d'être aimé – et aimé comme nous aimons l'être, par exemple avec tendresse, dans une relation d'intimité, en étant proches presque fusionnels... Et que pour eux comme pour nous, c'est toujours le moment d'aimer et d'être aimé... L'idée est charmante mais elle est fausse.

Dans la catégorie des amoureux à fuir, on trouve des claustrophobes de l'amour qui aiment… de loin. Dès qu'on veut donner à la relation amoureuse ce qui en fait la richesse, la saveur, le caractère unique à savoir l'intimité, les échanges d'expériences de vie… ils étouffent, se murent, parlent de la pluie et du beau temps, de la peinture du plafond… Quand on connaît les délices du partage, on se met en colère : « Si c'est pour avoir avec toi les conversations que j'ai avec le boucher ou le plombier, quel intérêt ? » Au lit, c'est souvent la même chose. Après quinze ans d'ébats rares, silencieux, dans le noir, dans la position du missionnaire, Anna ne savait toujours pas si son mari aimait ses seins, sa peau, son odeur, quelles images, quels mots, quelles caresses éveillaient son désir… « Comme aurait dit Cyrano, c'est un peu court jeune homme » ironise la quasi virginale épouse qui a joui pour la première fois dans les bras de son premier véritable amant : « Alors seulement, j'ai connu un homme et pu entrevoir ce qu'était une relation charnelle hors des bras d'un curé. »

Les violents en tous genres…

Et puis il y a les violents en tous genres : les pervers, les manipulateurs, les dominateurs qui abusent de leur « proie » sans aucun sens de l'équité, ni même de la personne « aimée ». Ils ont de l'amour – si on peut l'appeler ainsi – une vision utilitaire. Les manipulateurs veulent que la relation leur servent à obtenir ce qu'ils veulent : de l'argent, des services, un statut social… Les dominateurs veulent en tirer le sentiment d'être puissants, bien au-dessus de la mêlée et de leur partenaire écrasé à leurs pieds. Les pervers, eux, se sentent en pleine forme quand ils nous trouvent décontenancés par leurs missiles imprévisibles, quand ils nous rendent aussi sinistres qu'eux, privés de la joie de vivre qu'ils aiment à nous voler…

De tous ces incapables de l'amour, pensons bon débarras ! L'intérêt est que nous aurons appris à les reconnaître, à les voir arriver à mille lieues. Plus jamais ils ne nous prendront dans leurs filets. De même pour les violents physiques qui ne donnent la première gifle que bien après le début de la relation quand des enfants sont déjà nés. Pas toujours facile de partir surtout quand ils jurent que plus jamais ils ne recommenceront. Et ne disons pas que les femmes « aiment ça ! » ou qu'elles l'ont « bien cherché ». Quand elles arrivent enfin à trouver la force de fuir sans mourir de peur qu'ils ne les retrouvent pour leur faire pire encore… et qu'elles rencontrent enfin un homme sachant les aimer sans les battre, soyons sûrs qu'elles savent apprécier les joies d'un bonheur non violent.

16

Quand nous donnons trop…

Nous avons joué avec les feux d'un amour destructeur et nous avons perdu. L'autre s'en est allé. Nous ne pouvons pas nous reprocher d'avoir voulu vivre cet amour fort mais nous nous accusons d'avoir trop donné, trop espéré, trop accepté. La conclusion désabusée de cette histoire pourrait être : « Tout ça pour ça ! » Là encore y a-t-il vraiment des reproches à se faire ? Nous avions de bonnes raisons d'y tenir… Certains moments ont été uniques même s'ils furent cher payés. Au fond, si nous avons le courage de regarder en face nos manques, nos failles, nous verrons qu'il n'y a pas de quoi nous en vouloir mais beaucoup de leçons à en tirer pour ne pas retomber dans ces amours tentantes mais épuisantes.

En analysant leurs amours certains s'aperçoivent qu'ils ont beaucoup donné et comparativement bien peu reçu. Ce déséquilibre porte un nom en psychologie : la co-dépendance. Le symptôme : se soucier bien plus des autres que de soi-même, consacrer un temps fou à se mettre à leur place au lieu de rechercher son propre bien-être. Ne pas compter, ne pas exister, ne pas s'affirmer. Faire des concessions sur tout, se considérer comme secondaire. Les co-dépendants, se laissent habiter, n'existent que pour l'autre… Imaginez quel vide se crée quand on les quitte. C'est d'une véritable drogue dont on les prive. Ils sont en manque, vidés de leur substance, de leur raison de vivre puisque « toute leur vie » c'était l'autre…

Nous avions des raisons de « supporter ça » !

Que l'on ait beaucoup donné sans recevoir, que l'on ait été floués, trahis, abusés… nous avions des raisons de ne pas rompre plus tôt. Parfois, c'était l'espoir que cette relation s'améliorerait puisqu'elle pouvait être si belle… Ou l'espoir que l'autre changerait pour son propre bien et pour le nôtre, d'autant qu'il ou elle s'était excusé(e) : « pardon »… Parfois, c'était la force qui nous manquait : la force de croire en nous-mêmes, la force de réagir, la force de partir. D'autres fois encore nous sommes restés le temps de comprendre qui était cet homme ou cette femme tant aimé. Sophie croyait au grand amour, croyait que son amant quitterait sa femme jusqu'au jour où un collègue lui a dit cette phrase atroce : « Mais tu es la seule à ne pas voir qu'il se tape tout ce qui bouge ! » Oui, nous avions des raisons pour continuer à « supporter ça » : l'aveuglement, l'espoir et… la confiance.

Pourquoi donne-t-on autant ?

… Pour continuer d'être aimé ! Encore ce terrible manque de confiance en soi qui abîme nos amours, nous fait faire de mauvais choix amoureux, nous fait supporter l'intolérable. Dans la rupture, on pleure d'avoir été quitté mais aussi « de s'être mis plus bas que terre », et pour quoi ? Pour en arriver là ! Claire se rappelle les heures passées au chevet du père mourant de son compagnon et celui-ci partant à la chasse, la laissant des dimanches entiers avec sa mère et le malade dont elle s'occupait comme de son propre père sans que son amant ait un mot de reconnaissance ou de remerciement. Elle se rappelle aussi cette manière de faire l'amour tellement personnelle. Cette impression d'être au service de ses fantasmes à lui. Il fallait qu'elle se plie à ses désirs – même quand elle n'appréciait pas trop les jeux qu'il réclamait. Sinon, il se fâchait… En revanche, quand elle demandait un peu d'amour, d'être mise en confiance, il faisait semblant de ne pas entendre. Tout pour lui, en somme, et très peu pour elle. Sa conception de l'amour ? « Soit tu me suis, soit je te jette… »

Mais de ressasser indéfiniment ce déséquilibre ne sert à rien. Plus intéressant est de se demander pourquoi elle a laissé faire, elle qui est une femme de caractère, une femme d'affaires aussi. D'ailleurs, quand il s'est permis de faire des réflexions sur sa manière de gérer sa boutique d'ameublement, elle lui a fait comprendre qu'elle connaissait son métier et qu'il n'avait aucun conseil à lui donner. De même sur sa façon de traiter ses employés et sur l'éducation de ses deux fils : « Je les élève à ma façon ! » C'est donc qu'elle savait se faire respecter sauf… en amour. Pour le reste, il était le roi. Était-elle amoureuse ? À la réflexion, pas tant que ça. À 60 ans, il était chauve, bedonnant alors qu'elle a une silhouette de jeune fille et une classe que bien des élégantes lui envieraient. L'attirance physique ? Son style très personnel dopé par le Viagra n'avait pas tout pour plaire. Qu'est-elle allée chercher dans cette histoire si peu (longtemps) satisfaisante ?

Que cherchions-nous dans cette histoire ?
On trouve parfois la réponse dans les sacrifices
que l'on a consentis.

Quand le père de son compagnon était mourant, Claire s'est dévouée bien plus que le fils, bien plus que l'épouse, bien plus que les sœurs. Elle l'a veillé jour et nuit pendant que les autres prenaient l'apéritif. Pourquoi ce zèle ? On croit que c'est par amour… Et s'il s'agissait d'autre chose, car personne ne lui en demandait autant ? À la réflexion, ce qu'elle a aimé, c'est une famille. Son « bourreau » lui a offert une famille de rêve, une famille de série B logée dans une superbe propriété appelée modestement « Tara » comme dans *Autant en emporte le vent*, avec des parents, des sœurs, des enfants et même une grand-mère qu'étonnamment, bien longtemps après la rupture, elle continue d'appeler « Granny » comme si c'était la sienne. Claire a compris en thérapie qu'elle avait été la troisième fille non désirée de sa propre famille. Enfant, elle a cherché à être parfaite pour se faire accepter, aimer. Sans succès. Dans cette relation, elle a essayé de se faire adopter par une famille. Et sans succès à nouveau puisqu'elle a été « rejetée, même pas remerciée ». Ira-t-elle mieux en comprenant que son chagrin est double : celui de sa déception amoureuse et celui de sa vieille douleur rouverte à cette occasion ? Une fois de plus, elle n'était pas l'enfant qu'on attendait...

Oui, elle ira mieux en comprenant que c'est une famille qui lui manque bien plus qu'un homme, surtout de cet acabit. Si elle a un renoncement prioritaire à accepter c'est celui d'une enfance heureuse dans laquelle elle aurait été une enfant désirée. Tout compte fait, son chagrin d'amour – avec un homme assez détestable finalement – est bien secondaire. Et puisqu'elle a besoin de la chaleur d'une famille, l'amitié qu'elle a avec son ex-mari, l'immense affection que lui vouent ses deux fils, sa petite-fille à naître lui feront beaucoup de bien ! Ce qui n'empêche pas l'amour, un jour, plus tard, peut-être, mais avec un type bien.

NOTRE RANCŒUR PROUVE QUE NOUS AVONS TROP DONNÉ

Notre rancœur est un bon indice de cette attitude amoureuse courante qui consiste à donner trop. Nous avons beaucoup sacrifié à cette relation mais... en attendant d'être remboursés. Il s'agissait d'un cadeau à double tranchant. En fait, nous avons donné à contrecœur et nous sommes en colère contre nous-mêmes de n'avoir pas réussi à obtenir ce qu'en échange, nous espérions. La rancœur est l'un des sentiments les plus destructeurs. C'est celui du drogué qui s'accroche pour qu'on lui paie ce qu'il estime devoir être son dû. On voudrait revenir en arrière et reprendre l'amour, le dévouement, les monceaux d'efforts fournis. Ruminer cette idée est le

→

contraire de l'acceptation qui apporte la paix. Elle nous incruste dans l'impression d'être lésé, maltraité, humilié. En fait, dans cette relation, nous n'avons pas assez pensé à nous-mêmes. Nous avons trop vécu pour les autres jusqu'à nous sentir vides, seuls, maltraités, lésés. Nous sommes en colère contre nous-mêmes pour avoir fait ce cadeau et en colère de ne pas en avoir été remboursés. Si nous nous sentons à la fois victimes et tellement « pris » par la rancune c'est que nous attendons trop de l'extérieur sans nous accorder assez d'importance. Cette rancœur prouve qu'il est temps de nous occuper de nos propres besoins.

Les ruptures aident à comprendre qui nous sommes et ce que nous cherchons.

Gaspard déteste se retourner sur le passé. Lui n'analyse pas, il avance en espérant cicatriser « tout seul ». Le problème est que le scénario des amours déçues se répète sans cesse. Sa première femme l'a quitté après trois semaines de mariage pour son meilleur copain, un mariage non consommé, « ça lui faisait mal quand on faisait l'amour ». La seconde, une Américaine, était « moche » : au moins, elle ne le tromperait pas. Ils ont eu une fille, la grande joie de sa vie, sont restés ensemble pour l'élever. Puis il a rencontré une Allemande bien plus jeune que lui, passion mais avenir improbable… Gaspard ne sait pas ce qu'il veut, ne sait pas se qu'il cherche, ne sait même pas qui il est… Il voyage, gagne bien sa vie, s'intéresse à tout, fait des stages de développement personnel…

Et s'il était « plusieurs » ? À la fois l'homme raisonnable, responsable, méthodique, ancien séminariste et… un aventurier, un voyageur, un homme curieux d'univers très différents : n'a-t-il pas aimé des étrangères, des femmes d'âge et de mentalité variés ? Il a la rigueur d'un ingénieur mais aussi la fantaisie et les curiosités d'un globe-trotter… Quand on lui demande de quelle manière il aime sa fille et pourquoi il a une si bonne relation avec elle, il répond joliment : « Je valide ce qu'elle est ! » Il comprend en le disant que c'est de cela dont il a besoin. D'une compagne qui accepte ses facettes contradictoires, qui l'aide à les réconcilier en lui-même puisqu'il admet : « À 40 ans, je me cherche encore… » Une compagne qui ne soit pas rejetante, comme son père et ses frères le sont, dès que l'on sort du cadre de ce que la famille a voulu pour soi. « En quittant le séminaire, je les ai beaucoup déçus. »

Voyez comme les ruptures sont formatrices quand elles aident à comprendre qui nous sommes et ce que nous cherchons. S'accepter enfin tel qu'il est : sage et un peu fou… et s'apprécier pour ces paradoxes qui fondent son originalité, voilà quel devrait être le prochain objectif de Gaspard. Et non plus celui de reconquérir une femme qui apparaît bien secondaire par rapport à ce projet enthousiasmant : « Oui, il serait temps de grandir et de m'imposer tel que je suis sans attendre qu'une femme m'y encourage… »

Quels ont été nos plus grands bonheurs ?

Il est intéressant aussi de se demander quels ont été nos plus grands bonheurs dans cette histoire car, autant que nos sacrifices, ils sont révélateurs de nos besoins. Bien sûr, nous risquons de replonger dans la tristesse, la nostalgie sauf si on parvient à déconnecter ces « révélations » de la personne qui les a procurées. Certains répondront qu'ils ont découvert la force du désir et plus précisément l'éblouissement de se sentir sexuellement en phase, suivis, acceptés – dans leurs fantasmes les plus intimes –, d'être en communion de cœur et d'esprit au moment de l'amour. Un moment où chacun se glissait dans cette aventure sans savoir où elle les mènerait et dont tous deux sortaient ensoleillés, sur un nuage, se sentant en accord parfait avec l'autre, avec lui-même, avec le monde entier. L'avoir connu est une chance. On sait maintenant que c'est l'un des bonheurs à retrouver si possible parce qu'il est l'expression même de la vie.

D'autres ont découvert la complicité. « Même tournure d'esprit, mêmes fous rires provoqués par des riens captés au même moment d'un seul regard comme si nous n'étions qu'un. Une succession de “tilts” : je ne pouvais pas commencer à chantonner sans qu'il embraye sur le refrain, se rappelle Sophie. Nous avions la même culture, les mêmes chansons dans la tête, les mêmes lectures, les mêmes répliques de films… Un mot, un regard pas besoin d'en dire plus. Je n'avais jamais connu cela avec personne. » Florence, elle, a trouvé dans cette relation avec son ex-mari « une douceur de vivre, de la tendresse, une forme de sécurité et le bonheur de construire une famille. Ce n'était pas tant la relation à deux qui était satisfaisante que le fait d'être tous ensemble autour de la table à parler de nous, de la vie, à partager les repas du dimanche, les balades en forêt ou une séance de piscine… » Gardons en tête ces plaisirs afin de les cultiver seuls ou dans la prochaine relation…

> **« Elle m'aimait paraît-il… Mais quand on est aimé comme ça, on n'a plus besoin d'ennemis… »**

D'autres amours étaient d'une force extraordinaire mais compliqués parce que l'amour était inégal. Nous avons cru qu'à la longue nos sentiments deviendraient « contagieux », qu'à force de donner nous serions payés de retour… mais l'excès de don, de compréhension, les relations inégalitaires n'ont jamais renforcé l'amour. Au contraire, ils le teintent de culpabilité, du sentiment d'être redevable, face à tant de générosité. Toutes choses qui abîment le sentiment. Mais au moins nous avons la satisfaction d'être allés, comme Karim, « jusqu'au bout de cette histoire. De lui avoir donné toutes ses chances mais… Elle buvait mon cœur à la paille, poursuit-il. Avec un amour pareil, je n'avais plus besoin d'ennemis. Personne ne pouvait me faire plus de mal que cette fille à qui j'avais donné mon diamant c'est-à-dire ce que j'avais en moi de plus secret, de plus beau et qui s'essuyait les pieds dessus. »

Élodie écrit qu'elle « n'a jamais reçu autant d'amour mais qu'elle n'a jamais été aussi haïe par un homme. Il lui en a fait voir de toutes les couleurs. Il ne supportait pas qu'elle soit, croyait-il, plus brillante. Il était sans cesse en rivalité avec elle. Il voulait la dominer, la contrôler. Au lit, leur relation était passionnelle. Elle voyait bien à sa manière de la désirer, de la regarder, à sa façon de vibrer quand elle disait quelque chose qu'elle lui entrait dans la peau. Que personne ne l'avait comprise « sentie » d'émotion à émotion aussi fortement. Mais il supportait mal cette dépendance. Il la punissait de lui inspirer des sentiments aussi envahissants en l'humiliant devant leurs amis, en surveillant sa manière de faire le ménage, en l'injuriant, en la traitant de « souillon » parce qu'elle avait oublié d'ouvrir son courrier, « d'idiote » quand elle disait un mot à la place d'un autre. Il semblait guetter la faute de comportement, de raisonnement pour avoir le plaisir de la « corriger ».

Aujourd'hui, elle est partie mais elle se sent « terriblement coupable ». Et de quoi donc ? D'avoir choisi de se protéger ? De ne plus vouloir être rabaissée ? De vouloir sortir de cette relation infernale quitte à faire du mal à cet homme qui ne l'avait pas volé ? Mais, lui, ne s'est-il pas ingénié à lui rendre la vie impossible ?

Sortir du rôle de victime.

Oui, décidément certaines histoires ne sont pas assez bénéfiques pour soi. Mais elles ont fait partie de notre cheminement. C'est fait, c'est fait ! Ce qui compte, maintenant, c'est de comprendre que ce n'était pas l'homme ou la femme de notre vie puisque c'est fini. Que ce n'était pas une histoire idéale puisque l'autre a voulu rompre, a trouvé ailleurs lui correspondant mieux (et c'est son droit !). Que cette histoire était malsaine mais que nous avions à y rejouer quelque chose de notre enfance ou que nous avions besoin de nous punir ou encore que nous manquions d'expérience pour croire que l'amour était autre chose que cette vie-là.

Tant qu'on se sent victime, on ne décroche pas. On ne se reconstruit pas. On attend que le super bonheur nous tombe du ciel ou que la poisse s'abatte à nouveau sur nous. Laurent croyait avoir enfin trouvé la femme de sa vie. Il la rencontre par des amis. Il se sent immédiatement en phase. Il la couvre de cadeaux, lui promet le mariage. Ils sont aussi amoureux l'un que l'autre. Les noces annoncées, elle parle de prendre un peu de champ pour réfléchir… Histoire classique. Et elle le quitte.

On pourrait croire qu'il va s'écrouler. Il y a tellement de temps qu'il cherche une femme, qu'il rêve de mariage, qu'il ne supporte plus sa solitude au fond de sa campagne « à rester des jours sans voir passer une voiture… » Mais il réfléchit…

En finir avec la complaisance à la douleur

Il a décidé « d'en finir avec la complaisance à la douleur ». Je suis allé voir un psy mais il a remué la souffrance. J'ai été mal guidé, pas en confiance. Moi je voulais retrouver de l'énergie, une envie de vivre. J'ai adoré cette femme, mais j'ai compris qu'elle avait un problème avec les hommes. Je n'ai pas le temps d'attendre qu'elle guérisse. Je veux être heureux ici et maintenant. Je ne suis pas celui que l'on sacrifie sur l'autel de sa haine du masculin. J'ai pensé aussi à tout ce qui n'était pas bien dans la relation. Elle, je l'avais idéalisée. Finalement, cette relation avait plus d'inconvénients que d'avantages et j'avais tort de me dire « avec le temps, tout s'arrangera ». Je ne veux plus être ni dans la destruction ni dans l'illusion. À chacun sa thérapie, moi c'est le travail. Je vais mieux

→

depuis que je me sens rompeur autant que rompu. Je ne suis pas victime là-dedans. Je vais mieux aussi depuis que je sais qu'il n'y a aucun espoir avec cette femme, aucun espoir de relation heureuse.

Même credo avec d'autres solutions chez Sophie : « Il faut sortir du rôle de la victime, prendre sa part dans l'histoire, se prouver qu'on a de la force et du courage. Alors, ça va mieux. Parler avec des gens qui nous aiment, aller chez le coiffeur, changer de garde-robe et faire tout ce qui permet de se regarder dans le miroir en se disant que finalement, on n'est pas si mal que ça physiquement, humainement. Quand j'ai réalisé que cette histoire merdique pouvait encore durer dix ans, là, je me suis dit que j'allais déclencher la guerre. Déclencher la guerre voulait dire que j'allais le faire mourir en moi, tuer tout l'amour, toute l'attirance, toute l'estime que j'avais pour lui et le tout en travaillant avec lui, que j'allais avoir cette force. Non seulement cela mais que j'allais le faire sans antidépresseur, sans anxiolytique et avec un psy. Et sans retomber amoureuse tout de suite, parce que je ne veux pas repeindre sur du malsain. Je veux tout gratter. Je me dis que la solution est en moi. »

Cessons les violons...

Pour rendre l'histoire plus belle, on l'idéalise. On se fait du mal en pensant avoir perdu l'homme ou la femme de sa vie. Certes nous avons vécu des moments extraordinaires... que nous n'avions jamais vécus avec personne.

→

Mais la rupture – d'où qu'elle vienne – prouve que « ce n'était pas ça ». À partir du moment où l'un des deux claque la porte, c'est que ce couple n'était pas viable. Soit la souffrance était trop forte. Soit il ou elle n'a pas été à la hauteur. Soit vous avez eu peur... Quand on est faits pour la vie commune, on résiste aux crises (car il y en a), on surmonte les épreuves, on se déchire éventuellement mais on se réconcilie, on reprend le dialogue et l'on revient – malgré les écarts – dans les bras l'un de l'autre. On ne cesse de nous dire qu'un couple sur deux divorce dans les grandes agglomérations, un sur trois dans les petites mais cela signifie qu'un sur deux reste soudé, qu'un sur trois continue main dans la main. Cessons de croire que cette histoire était la bonne. Le simple fait que l'un des deux ait jeté l'éponge prouve que nous étions faits pour vivre cette histoire certes, mais pas pour la continuer.

Quatrième partie

Le temps de tourner la page

Vous avez fait le tour de la question. Vous savez maintenant pourquoi cette personne vous a convenu mais pourquoi l'histoire ne pouvait pas durer. Vous avez compris ce qu'elle vous avait apporté de pénible (à ne pas reproduire) et de merveilleux (à rechercher). Grâce à ce bilan nécessaire, vous avez pu établir de nouveaux critères amoureux. Vous savez ce que vous n'accepterez plus, quelles sont vos priorités personnelles, les concessions que vous ne ferez plus et… les erreurs à éviter. Le simple fait d'avoir précisé les choses pour vous-même est un apaisement car vous acceptez désormais que vous n'avez pas perdu votre temps dans cette histoire, qu'elle vous a beaucoup appris sur l'amour et sur vous-même. Ceci fait, il est temps de tourner la page, de vous consacrer au présent et d'envisager l'avenir avec confiance.

17

Aujourd'hui, c'est moi qui te quitte…

Comme il est bon ce moment où l'on peut enfin dire : « Je ne voudrais plus de toi, même si tu revenais… » Car il arrive un jour où pour rien au monde nous ne voudrions reprendre l'histoire. Comment avons-nous fait pour en arriver là ? Puisqu'on nous y a obligés, nous avons compris à notre tour ce qui n'allait pas dans cette relation. Nous avons fait jouer le principe de la balance en recouvrant notre amour de tout ce qui pesait sur notre « moi ». Dans l'épreuve, nous nous sommes aussi découvert des forces et des capacités qui, autant que l'amour, peuvent nous donner des ailes. Et puis n'avoir de comptes à rendre à personne… Ne plus avoir de crises à supporter… Nous avons aussi appris à partager ailleurs. Nous nous sommes aménagé une vie qui présente évidemment des inconvénients (pas toujours facile la vie en solo) mais au moins, c'est une vie de paix. Quant à la honte, la colère, la tristesse… elles décroissent de jour en jour. Eh oui, le temps est venu de tourner la page. Nous sommes en partie reconstruits, ce qui mérite bien de fêter l'événement, non ?

Certains amoureux reviennent en se rendant compte qu'ils ont fait « la bêtise de leur vie en nous quittant ». Ils sont tombés dans l'illusion d'un autre amour, d'une autre vie bien meilleure que celle que nous leur offrions. Ils ont cru que l'herbe était plus verte ailleurs… et ils ont déchanté. Finalement, nous sommes l'homme ou la femme de leur vie. Mais cette ultime « piqûre de rappel » restera sans effet car cette fois nous avons appris – ô combien ! – à vivre sans eux. « Un jour Shrek m'a dit : "je serai toujours amoureux de toi" et je lui ai répondu "eh bien pas moi !" se réjouit Sophie qui accueille sa guérison comme une victoire personnelle gagnée de haute lutte. Et elle a raison !

Leur départ, nous a obligés à faire jouer le principe de la balance, celui qui consiste à rabaisser la personne ou la relation pour parvenir à s'en défaire. Nous avons dressé la liste des plus et des moins et cette fois, pas de doute, les moins l'emportent. Ces défauts que nous ne voulions pas voir nous crèvent désormais les yeux. Ce mode relationnel auquel nous nous accommodions de plus ou moins bonne grâce, non décidément, ce n'est pas du tout ce que nous recherchons… Emma constate : « Je me suis rendu compte que mon mari me plombait. Dès que j'avais un projet, il le trouvait nul. Avec lui, je ne me sentais jamais moi-même, je me cachais. Lorsque j'ai dit que je voulais devenir thérapeute, par exemple, il a répondu : "Il est hors de question que cela se fasse à la maison". Je ne pouvais pas exister, je ne pouvais pas m'épanouir avec lui. »

Je ne pouvais pas m'épanouir...

Oui, c'est finalement le constat que nous faisons. Sophie dans cette relation qu'il fallait cacher à ses collègues, ses enfants, ses amis parce qu'il était marié et ne se décidait pas à quitter par femme malgré ses promesses de le faire, a été dégoûtée par cette « lâcheté ». Pénélope se rend compte elle aussi qu'elle n'a jamais été en confiance avec cet homme qui soufflait le chaud et le froid, qui l'aimait sans doute mais ne voulait surtout pas l'avouer par orgueil, par manque de générosité. Elle sait maintenant qu'elle aime les gens chaleureux qui se donnent « à fond » dans l'amour « les pisse-froid, les trouble-fête, ceux avec lesquels on ne peut jamais se réjouir de rien, non merci ! » Elle n'a aucune envie de retrouver ces tête à tête qui la ravissaient autant qu'ils lui faisaient peur. Peur de cette insécurité affective dans laquelle il la maintenait, peur de cet homme imprévisible qui pouvait être d'accord sur tout ou... sur rien qui pouvait démolir le rendez-vous tant attendu simplement parce qu'il était – ce jour-là – d'humeur destructrice.

Comme on s'apaise quand on comprend que l'autre nous a quitté mais qu'aujourd'hui, c'est nous qui voulons rompre...

Car nous étions très amoureux certes mais d'un « potentiel ». En réalité, cette personne aurait pu être extraordinaire si… Au début, c'était la relation idéale avec amour, tendresse, sexualité merveilleuse, entente parfaite, puis est venu le manque, le « presque ça ». Même lorsque nous étions encore ensemble, il y avait quantité de moments où la magie continuait d'opérer mais gâchée par des disputes, des bouderies malgré nos tentatives de tendre la main. Pénélope raconte : « Cet homme ne supportait pas d'échanger des avis qui, de mon point de vue, se complétaient tandis qu'il m'accusait sans cesse de le contredire. Je réalise maintenant que si c'était pour l'écouter faire des conférences en opinant béatement, autant aller au Collège de France. Les gens y sont certainement plus brillants… »

En regardant en arrière, nous pensons que nous aurions pu nous escrimer des années encore à leur faire comprendre que nous avions besoin de… dialogue ou de tendresse ou de respect ou de réciprocité, etc., sans qu'ils changent d'un iota.

Sans eux, c'est très vivable…

Nous avons surtout découvert que la vie sans eux était très vivable. Et que l'on pouvait vivre sans béquilles. Pour Stéphanie, c'est l'une des grandes révélations de sa première rupture : « Elle a eu lieu avec le papa de ma fille. Je l'ai rencontré à vingt-huit ans ; il avait quinze ans de plus que moi. Il était plus père que mari. Finalement, qu'il ait rompu, qu'il m'ait trompée m'a rendu service… Nous nous sommes quittés alors que je n'avais plus à apprendre de lui. Gros choc sur le moment : ma vie n'avait plus de sens, je ressentais un vide et j'avais peur de ne pas pouvoir me reconstruire. Pourtant j'ai pris les choses à bras-le-corps. J'ai vendu la maison, je me suis accrochée à mon travail. C'est très douloureux : on a l'impression d'être coupé en deux, comme si la moitié de soi-même mêlée à un autre, se décomposait. C'est la partie à reconstruire. Avant, pour tout ce qui arrivait dans la vie, on comptait sur l'autre à cinquante pour cent et maintenant, il faut s'en remettre à soi-même à cent pour cent. La rupture m'a permis de doper ma confiance en moi. Il faut se retrouver seul pour savoir de quoi on est capable et pour se rendre compte surtout que l'on est bien mieux comme ça entière, capable d'exister par soi-même pour soi-même. »

Même catastrophe pour Angela quittée en pleine maladie, elle aurait pu penser que cela allait l'achever si elle ne s'était pas dit avec le courage qui la caractérise : « Eh bien, puisque c'est ainsi, il va falloir que je tienne debout toute seule », et elle y est parvenue. Aujourd'hui non seulement elle est guérie de son chagrin d'amour mais elle est guérie de son cancer. Elle a survécu à la rupture et à de multiples opérations, chimio, radiothérapies. Même ses métastases au foie ont disparu. Dans quelques jours, elle reprendra son travail. Quelle victoire ! Celle-ci aurait-elle été si belle, si complète si Lucas avait continué de l'accompagner ? Elle aurait pu croire que c'était lui qui lui donnait cette force mais non, c'est en elle qu'elle existait. Si bien qu'elle a envie de lui dire : « Merci. Merci de m'avoir permis de savoir ce dont j'étais capable. »

On retrouve souvent cette forme d'allégresse quand enfin la perte, la rupture apparaissent d'un certain point de vue comme une chance. Le psychanalyste

Jung affirmait que : « La joie de vivre vient du sentiment de s'appartenir. » Eh bien, justement, certaines femmes qui ont toujours été accompagnées, qui se sont mariées jeunes découvrent – comme certaines veuves joyeuses – la grande jouissance qu'il y a à décider de sa vie et de soi-même. Emma en éprouve une certaine allégresse…

J'AI VU QUE JE SAVAIS MENER MA BARQUE…

« Dans la solitude, fasse à l'adversité, on découvre de quoi on est capable. Il est excellent pour l'estime de soi – en si mauvais état après la rupture – de se lancer des défis, d'oser faire ce que l'on n'a jamais espéré, ni même pensé faire. « Je suis allée une fois une semaine en Grèce et une fois à l'Île d'Yeu. J'avais besoin de faire des trucs toute seule. Je ne savais même pas si j'en avais été capable un jour. J'avais été mariée à 21 ans, j'avais eu trois enfants. Il fallait que je me rassure sur ma capacité à faire les choses par moi-même ; en Grèce, je ne connaissais pas la langue. C'était merveilleux ! Et aujourd'hui encore, j'ai besoin de le vérifier de temps en temps, sinon je ne sais plus pourquoi je suis avec quelqu'un… J'ai vu que j'étais combative. J'ai découvert en moi des ressources insoupçonnées. C'est étonnant cette énergie qui m'est venue : j'avais toujours eu envie de faire du vélo mais je me sentais mal-habile dans cette situation, surtout en ville. Je m'y suis mise avec une impression de renouveau. C'était génial !

Ah, ce sentiment de liberté, la joie de se découvrir, d'être enfin soi-même. Emma s'autorise ce qu'elle n'a pas fait depuis quinze ans : sortir le soir comme une jeune fille pendant que son ex-mari garde leurs trois enfants. Passer la nuit avec d'autres hommes, amoureux d'elle ou pas peu importe. Ce qui est extraordinaire, c'est de découvrir d'autres corps, d'autres bras et « le beau sexe des hommes ». C'est tout un monde de sensualité qui s'ouvre à elle et la piscine à laquelle elle va si souvent pour le seul plaisir de sentir son corps revivre, autrement, à sa façon. Avec son mari, ce grand intellectuel, ce n'était pas possible.

Une fois passé ce moment très dur à assumer, j'ai retrouvé une nouvelle vitalité et je n'ai plus jamais cessé d'explorer des tas de pistes.

Peut-on vivre sans amour ? demandait-on un jour à la psychanalyste Sophie Cadalen. Sa jolie réponse : « Oui, mais on ne peut pas vivre sans désir… » Eh bien, il n'y a pas d'amour dans la vie d'Emma au sens d'être amoureux. En revanche que de désirs en elle : désir de tout faire, de tout voir, de tout oser : « Je vis plus fort. Je crois que cette énergie m'est venue parce qu'il fallait absolument que je sauve ma peau ! J'étais en état d'alerte. Je ne pensais qu'à demander de l'aide, à mettre en place des choses pour sortir de là. J'ai appris à me connaître. J'ai appris quelles étaient mes forces. C'est comme un geyser enfoui qui soudain est sorti. Elle pourrait écrire comme Anaïs Nin : « Quelle erreur pour une femme d'attendre que l'homme construise le monde qu'elle veut, au lieu de le créer elle-même. »

18

Ça n'a pas été une histoire « pour rien »

Oui, maintenant nous pouvons « tourner la page » comme nous le conseillaient nos parents, nos amis… tous ceux qui en avaient assez de nous voir souffrir et de se sentir impuissants à nous sortir cet amour de la tête. Enfin, nous avons fait la part des choses, compris à qui nous avions affaire, réalisé aussi qu'il arrive un moment où il faut arrêter de chercher à comprendre sous peine de s'enliser dans des questions sans fin et sans réponse parce que certaines personnes sont incohérentes en amour ou très à côté de leurs baskets au point de ne pas se comprendre elles-mêmes. Passons notre chemin, continuons notre vie, avançons… Néanmoins, comment tourner la page pour ne pas rester sur une impression d'échec et de temps perdu ? Voici quelques pistes…

On s'apaise quand on reconnaît bien sûr que l'histoire est finie mais qu'elle n'a pas été vécue pour rien, autrement dit quand on sort de l'aigreur de l'impression d'avoir été victime « de bout en bout ». À la longue, les deux idées (c'est du passé ; il y a eu du bon) se rejoignent… On peut finalement se dire comme Lou : « Il était difficile à vivre, il perdait ses affaires, il n'était pas toujours très sympa, mais… nous avons vécu des moments heureux, il m'a permis…. » de récupérer d'un deuil affreux, de réparer une enfance difficile, de couper avec ma mère, de ne pas faire de dépression après un avortement… ou de constater comme Jonathan : « Avec ma première femme, j'étais un bâtisseur : je montais des entreprises, des projets, nous faisions des bébés… »

De cette histoire, il nous reste aussi, souvent, de beaux enfants. D'autres encore reconnaissent qu'ils ont été très insatisfaits sexuellement, par exemple, ou qu'ils s'attristaient que leur partenaire ne s'engage pas mais qu'ils y trouvaient leur compte : « Vivre une histoire sans en avoir le quotidien, m'a arrangée. C'était un sas hors de la maison, hors de mes filles que je n'aurais pas aimé mêler à tout cela… Et puis nous avons vécu de très bons moments ensemble, de la rigolade, de la sexualité. L'amour apporte toujours quelque chose, ne serait-ce que le fait d'avoir été amoureux… » Bref, mon projet est double dit Angela : « L'oublier et garder sa lumière… »

Ce n'était pas un homme ou une femme pour moi, mais ça n'a pas été une histoire pour rien.

Soyons bien convaincus avant de tourner la page que cette histoire – même si elle a été douloureuse, même si elle nous a apporté trop peu de joies, même si elle s'est si mal finie… n'a pas été sans avantages. Si nous y sommes restés si longtemps, trop longtemps à nos yeux, c'était le temps qu'il fallait pour comprendre qui était cet homme, cette femme dont nous étions tombés amoureux. Sophie pourrait se dire « six ans de perdus » parce que pendant ces six années, elle croyait être le seul amour de sa vie alors qu'il avait une femme (ça elle se savait) et quantité de maîtresses (ça elle ne le savait pas) auxquelles il envoyait sous son nez des texto en prétendant s'adresser à ses enfants. Pour réussir à ne plus l'aimer, elle s'est mise à le détester, à le haïr. Normal, c'est une étape. Idem pour Laura qui a cru en se mariant à 40 ans que c'était « pour la vie » jusqu'à ce qu'elle découvre un homme violent, pervers. Quelle claque ! Quand ils se sont quittés, il l'a terrorisée, lui a envoyé des mails, des coups de fil destructeurs menaçant de la tuer, de s'en prendre à ses enfants à moins qu'il ne l'accuse, elle, de vouloir le conduire au suicide. Elle a été prise de panique. Elle l'a haï d'autant plus fort que son amour-propre personnel et professionnel était mis en cause : en effet, comment elle, médecin psychiatre avait-elle pu s'aveugler sur la personnalité paranoïaque de ce grand séducteur ?

Un amour-passion c'est bon à vivre une fois dans sa vie pour apprécier ensuite une relation plus calme…

Cicatriser dans la haine revient à ne pas cicatriser du tout. En ce cas, nous resterons fixés sur cette histoire, sur la rancœur d'avoir tant donné. Nous en voudrons à l'autre et à nous-mêmes avec, en outre, mille préjugés contre les hommes, les femmes en général, tous mis dans le même sac. Aussi importe-t-il de se demander quels ont été les bénéfices de cette histoire. Forcément, de bons moments ont été vécus. Si nous avons tant aimé – puisque tant souffert – c'est donc qu'ils ont existé. Nous avons été regardés, désirés comme jamais sans doute. À moins que cette histoire, sous cette forme-là, ait été nécessaire parce qu'elle correspondait à nos besoins du moment. Muriel n'avait pas besoin d'amour, elle avait surtout besoin d'affection, elle qui en avait reçu si peu dans son enfance. Elle est restée vingt ans avec un homme plus âgé qui ne l'aimait pas comme on aime une maîtresse mais qui la choyait comme on chérit son enfant. Sexuellement, elle ne s'est pas épanouie mais elle y a trouvé la sécurité affective qui lui avait manqué. Pourtant, elle ne regrette rien : « Cette histoire était sans doute indispensable pour passer à l'âge adulte. »

De même pour Manon. Après avoir beaucoup pleuré, été très en colère, vécu « le manque d'une droguée », elle est sereine. Elle se souvient de cette relation avec reconnaissance et émotion. Elle se dit que cette passion, même si elle a mal fini, l'a fait renaître. Elle a revécu dans les bras de cet homme, une vie d'ado. Elle pense maintenant qu'une telle intensité ne peut pas se vivre au quotidien mais qu'il faut l'avoir vécue une fois dans sa vie ; elle comprend aussi que ce genre d'hommes ne peut pas s'installer : « Il m'a quittée pour d'autres femmes, c'était prévisible. Il ne vit que dans la séduction. Un amour passion, c'est bon à vivre pour se dire que ce n'est pas l'idéal. Que c'est vampirisant. Ensuite, on apprécie de revenir à un amour plus calme. »

Je ne regrette rien, ni les amours, ni les ruptures...

Stéphanie constate : « À chaque relation je me suis complétée. À chaque rupture j'ai acquis de la confiance en moi, réalisé que je pouvais être moi-même à part entière. Mon premier amour était pour moi un papa. Grâce à lui, je suis passé de l'adolescence à l'âge adulte. J'ai épousé un père, je n'ai pas pu récupérer un mari. Qu'il m'ait quittée, m'a fait mûrir. J'ai découvert que je voulais devenir actrice de ma vie et appris que j'étais capable de me débrouiller seule sans avoir peur du face-à-face avec moi-même... La deuxième relation m'a permis de défusionner d'avec ma fille que je couvais. Cette rupture a mis en évidence mon point de fragilité : la jalousie. Ma souffrance n'était pas celle d'être quittée mais partagée. Elle m'a appris à ne pas attendre l'amour de l'autre mais à savoir m'apprécier. Et à comprendre que personne n'appartient à personne. La troisième rupture m'a aidée à m'accomplir vraiment même si toutes mes peurs se sont réveillées. Désormais, j'avais toutes les ficelles en main pour m'en sortir. J'ai pu constater que je n'avais cessé de progresser sur le chemin de l'autonomie. J'ai mis moins de temps que d'habitude à me relever ; je ne suis pas tombée malade. Je suis repartie dans l'action tout de suite en ne pensant plus comme les autres fois : "Tu ne retrouveras jamais quelqu'un" mais plutôt : "Tu te reconstruiras." C'était fait : je n'avais plus besoin d'être accompagnée. »

L'espoir est au bout du pardon.

Quand on comprend les bénéfices de ces histoires et de ces ruptures, quand on parvient à s'appuyer sur elles pour avancer, la rancœur, la haine, la colère s'épuisent. Arrivent alors l'apaisement voire le pardon. On comprend qu'en amour, on fait ce que l'on peut au moment où on en est de sa vie. Angela ne SE reproche rien. Elle ne LUI reproche rien. Elle trouve même qu'elle a eu une chance inouïe de connaître un amour de cette intensité. Parfois, elle pense qu'ils ne reviendront jamais en arrière. D'autres fois, elle se dit que peut-être… Plus rarement, elle lui en veut encore de ne pas voir « la belle femme que je suis malgré ma maladie ». En tout cas, elle ne regrette rien. Maintenant que la page est tournée, elle peut repenser aux bons moments sans souffrance ni nostalgie. Lui reviennent des images d'amour et de paix : « Je me vois dans un énorme cercle doré. Lucas est dans un autre. Les cercles ne communiquent pas. Je le regarde avec beaucoup d'amour mais je suis bien dans mon anneau, sans lui. Je penche la tête avec affection, je le regarde avec amour, bienveillance. Je lui dis merci pour tous ces moments merveilleux. Nous nous regardons tous les deux nous éloigner et alors, quand il a presque disparu, je peux tourner la tête à droite à gauche et voir les cercles dorés tout autour de moi avec des hommes, des femmes à l'intérieur et je suis folle de joie à l'idée de toutes ces rencontres possibles. Je m'en régale par avance en pensant : « Tous ces échanges, tous ces mondes à découvrir et tant de créativité à venir… »

Se guérir en transcendant l'amour…

Et si on aime encore malgré la rupture ? Les plus forts comme Laurent parviennent à transcender l'amour. À passer par-delà la rupture. « J'ai été beaucoup mieux quand j'ai compris que je pouvais continuer d'aimer au-delà de la séparation. Que c'était moi qui décidais de mes sentiments. Cette femme est devenue une abstraction. Une incarnation de l'amour. Elle m'a appris ce qu'aimer voulait dire et je n'ai pas l'intention d'y renoncer. Je ne la vois plus. Elle ne me manque pas parce qu'elle m'a permis d'ouvrir en moi tout ce qui était beau et bon ». On pense aussi à cet artiste qui a dépassé la souffrance et le ressentiment de la rupture en semant sur les trottoirs de Paris ce mot écrit joliment et avec soin et qui fait des émules : amour… De cet amour impossible, il a fait un acte civique, développé une forme de spiritualité qui le comble et remplit aujourd'hui toute sa vie sans avoir besoin que son ex-fiancée revienne un jour.

19

Poser un acte symbolisant ce nouveau départ

« J'AVAIS CRU QU'IL suffisait de t'aimer pour te garder à jamais. Maintenant, c'est moi qui te quitte en renonçant à l'espoir de ton retour. Je suis libéré. Déposé à 32 ans aux berges d'une vie nouvelle. Je peux naître encore. Je retrouve le droit de vivre… Merci pour tout ce que nous avons partagé. Merci et adieu… », écrit Franck en guise d'au revoir. Voilà où nous en sommes. Reste à poser un acte qui inverse la proposition habituelle pour dire : fin et suite… L'acte de divorce tant attendu est la meilleure manière de mettre fin au contrat. Mais tout le monde n'est pas marié. On peut aussi avoir besoin de poser un acte plus personnel signifiant que nous tournons cette page de notre vie pour en ouvrir une autre. Des méthodes s'inventent. Certaines nous viennent des États-Unis mais on peut en imaginer d'autres…

La page se tourne rarement d'un seul coup. Comme on ôterait une à une les feuilles d'un artichaut, on enlève peu à peu les traces qui nous rappellent les feux de ce dernier amour. En se dépouillant peu à peu pour en arriver au dernier symbole, le plus important pour soi. Pénélope raconte qu'elle a commencé par jeter par la fenêtre de son automobile, sur une route de montagne, dans une décharge, le CD qui lui rappelait « son homme » pour en finir avec le romantisme des images que lui inspirait la chanson. « Fini d'être une midinette ! » Puis, elle a éliminé les e-mails de sa boîte électronique. D'abord les plus anodins. Puis à chaque fois qu'elle se sentait un peu plus forte, les plus affectueux, puis les plus amoureux, puis les plus désirants. Ensuite, elle s'est attaquée aux texto qui lui souhaitaient la Saint-Valentin, son anniversaire, une bonne année. « Un crève-cœur à chaque fois mais aussi l'impression de faire un pas en avant. »

Le délestage est progressif jusqu'à l'instant suprême, celui où l'on se débarrasse d'un symbole fort, signifiant que cette fois quelque chose est bel et bien fini pour nous aussi. Certaines personnalités radicales comme Sabrina, se débarrassent de toutes les traces dès le lendemain de la rupture quitte à laisser sur les murs le fantôme d'un tableau, à ne plus avoir de table dans leur salle à manger, plus de lampes dans leur chambre, plus de pot à café, plus le tablier symbolique (il faisait de temps en temps la cuisine), plus de livres qu'ils avaient lus ensemble : « J'ai tout donné à Emmaüs. » On met beaucoup de temps à en arriver là mais il est important de faire le ménage dans les objets pour le faire dans son cœur.

La tactique du carton

Nous avons vu que les objets entretiennent le souvenir et l'amour qui va avec et la souffrance qui en découle et les fantasmes. Soyons donc pratiques et mettons à l'abri lettres, e-mails, objets, photos, bandes son, vidéos. On imprime tout. On les garde éventuellement pour ses vieux jours quand on aura à cœur de se souvenir de la cohérence d'un parcours. En attendant, on range le tout dans un grand carton qui va finir tout en haut du placard ou si c'est trop proche à la cave ou si c'est encore trop proche dans le grenier de ses parents... Et dedans, on entasse les traces du passé : les vêtements laissés dans la penderie, les objets symboliques, les cadeaux... Tout ce qui représente ce que fut l'histoire. Certains changent aussi de draps, de meubles, de garde-robe. C'est à la fois triste et bon de tourner une page en étant sûr – car c'est certain – qu'une autre s'écrira et qu'elle sera plus à notre convenance : nous avons compris tant de choses...

Une alliance dans le Rhône...

Emma raconte : « C'est une histoire finie mais j'ai mis beaucoup de temps à l'accepter. J'ai espéré pendant des années, au moins trois ans, que l'histoire reprenne. Une part de moi ne pouvait pas y croire. Je n'arrivais pas à penser que nous ne pourrions pas retrouver cette intimité de gestes et de paroles. Si bien que j'ai été constamment déçue que ça ne vienne pas. Un jour, après avoir couvert des pages et des pages de cahier, après avoir passé un nombre considérable d'heures à en parler, j'ai réalisé que je ne voulais pas lâcher l'affaire. Et que cela me mettait à cran d'attendre de lui ce qu'il ne voulait plus me donner. Alors je me suis dit que j'allais poser un acte. J'ai ôté mon alliance, je la lui ai donnée en lui disant qu'il me la rendrait quand il le voudrait. Comme à son habitude, il n'a pas réagi. Alors j'ai récupéré mon alliance en me disant que j'allais la jeter dans le Rhône. Je l'ai posée sur mon bureau et là, je l'ai perdue. Elle est peut-être tombée dans la corbeille à papier. À partir de là, quelque chose a été terminé. »

Reprendre son nom de jeune fille, signer l'acte de divorce, ranger son alliance ou la jeter ou la donner, quitter le lieu où le couple a vécu sont autant d'actes qui marquent l'acceptation. Comme le fait d'annoncer aux amis qu'on est en partance pour le renouveau, pour les remercier de nous avoir soutenus dans l'épreuve car la tâche est ingrate. Ils donnent des conseils qui ne sont pas écoutés, nous entendent pendant des heures ressasser les mêmes images, les mêmes mots, les mêmes souvenirs. Pour se rendre compte, le lendemain, que cela n'a pas servi à grand-chose si ce n'est à être là. Tout se passe comme s'ils n'avaient rien dit, rien prêché. Ils méritent bien un merci, pourquoi pas sous forme de fête ? Comme tout phénomène de société, la rupture donne matière à faire du business. On peut désormais solliciter des agences inspirées des pays anglo-saxons telles Wedding out Factory (WOF) lancée par Julie Vincent et Rebecca Hazan pour enterrer sa vie de femme mariée. Une fête à laquelle on peut donner, au choix, une tonalité plutôt française ou plutôt américaine…

La tendance : fêter son divorce !

Faites du mariage le plus beau jour de votre vie et du divorce le plus beau jour de votre nouvelle vie, telle est l'offre que font les agences proposant d'organiser votre fête de divorce comme d'autres (ou les mêmes) s'occupent des mariages. Ces fêtes du divorce seraient une bonne façon de dédramatiser la situation, et signifier qu'une page se tourne tandis qu'une autre s'ouvre. Agréable manière aussi d'assumer cette séparation non plus comme un échec plus ou moins honteux mais comme une belle histoire qui se termine comme elle a commencé : dans la joie et l'amitié. En France, les fêtes de divorces sont plutôt tournées vers l'avenir et la rigolade avec strip-tease masculin, voyante pour nous prédire un joli futur amoureux, Dj faisant tourner sur leur platine de belles chansons d'amour, soutien-gorge en bonbons et médaille de la divorcée réjouie en guise de cadeaux. Dans les pays anglo-saxons, les « divorce-parties » ont un côté un peu plus aigre qui tourne à la revanche ou... à l'humour noir. On brûle la robe de mariée, on déchire les photos de mariage, on démonte la pièce... montée, on met en charpie des photos, des chemises de l'ex, etc. Une manière en somme de brûler ce qu'on a adoré, etc.

Et puis il y a le divorce lui-même. Certains arrivent devant le juge main dans la main tant ils sont encore frère et sœur pour la vie. D'autres – ceux dont nous parlons – ont plutôt les yeux fixés sur leurs chaussures pour ne surtout pas se parler, se regarder de peur.... d'être pris d'un accès d'amour ou d'un accès de haine. Tant de fantasmes sont venus ronger cette histoire qu'on tient à les garder intacts. Surtout ne pas regarder son ex-conjoint dans le blanc des yeux par crainte de constater que l'amour n'est pas encore éteint ou au contraire tellement lointain qu'on ne reconnaît plus cet étranger qui, pendant tant d'années, a partagé notre vie. Parfois, on ne sait même pas s'il faut s'embrasser. On aurait plutôt envie de se serrer la main tant on a pris de la distance mais n'est-ce pas un peu ridicule après avoir connu tant d'intimité ? Bref, le moment n'est pas très agréable. Éventuellement, faites-vous accompagner par un copain, une amie, un membre de la famille qui mettra un peu d'huile dans les rouages d'un cérémonial qui rappelle celui du mariage, la gaieté en moins.

Écrire ses bonnes résolutions

Une fois rentrés chez soi, une fois la fête finie, à nouveau le vide peut-être et ce sentiment de solitude qui nous assaille. C'est le moment de faire appel à tout ce qui nous a aidés pendant ce long parcours. Isabelle, une fois de plus, a recours à son petit carnet où elle note toutes ces pensées qui lui remontent le moral. C'est une sorte de gymnastique mentale qui la sauve : « J'ai plein de mots dans ma besace, je me souviens d'une amie qui me disait : “Tu es une femme puissante mais tu es dans un monde de plaintes au lieu d'être dans un monde de possibilités.” Cette phrase je ne l'ai jamais oubliée. Je me la répète souvent. Ces mots et d'autres m'ont sauvée du naufrage. Ce sont des formules, des injonctions qui m'aident à me faire du bien. En voici quelques-unes :
– Renoncer à se faire du mal
– La souffrance est une option
– La vie est un cadeau

C'est un livre entier que je me suis fabriqué. En le feuilletant, je lâche prise sur mes histoires. Je les relis en pensant aussitôt : stop ! Et c'est fini, je passe à autre chose.

En voici d'autres :

- Le matin, être présente à un monde de possibilités
- Être négatif revient à être dans la destruction
- Devenir un bâtisseur, une bâtisseuse.
- Une femme qui aime la vie est une femme qui tombe et se relève, qui tombe et se relève, qui tombe et se relève, etc.

Je lis et ça me saisit, je comprends que c'est nous-mêmes qui entretenons la blessure. Se sentir seule, par exemple, est le résultat de notre perception des choses.

La démarche de Catherine est similaire. Elle a vécu pendant vingt ans une histoire d'amour très heureuse avec son mari. Il est mort un matin. Crise cardiaque. Elle a cru en mourir et pour noyer son chagrin, s'est noyée dans la boisson. C'est auprès des Alcooliques anonymes qu'elle a trouvé secours, consolation et guérison. Des années plus tard, elle est tombée très amoureuse d'une… collègue. Cette attirance homosexuelle ne l'a pas choquée. Elle ne lui a même pas fait peur : « Je tombais amoureuse d'une personne qui a tout réveillé : mon amour et mes sens. » Cette femme n'a pas de mari, pas d'enfants. On ne lui connaît aucune relation amoureuse. Catherine pense que cette attirance est partagée. Et toutes ces attentions, tous ces coups de fil le matin pour savoir si elle a passé une bonne nuit, ces voyages ensemble, l'ont encouragée. Alors, elle avoue ses sentiments et… « prend une grande claque ! » Devant la douleur de la perte qui se réveille, elle retourne vers ceux qui l'ont aidée et se guérit à nouveau en suivant les préceptes des AA qui permettent à des millions de gens de tenir devant l'adversité.

Vivre le présent sans penser à hier, ni à demain

- J'essaierai de vivre ma journée, sans aborder l'ensemble de mes problèmes ce qui m'épouvanterait.
- Je penserai que pour être heureux, il faut commencer par décider de l'être.
- Je m'adapterai à la réalité sans chercher à la plier à mes désirs, en me contentant de saisir la chance qu'elle m'offre.
- J'essaierai de cultiver mon esprit en fournissant des efforts de concentration, d'attention et de réflexion y compris sur des tâches simples.
- Je rendrai service à quelqu'un sans qu'on le sache. Je ferai au moins deux choses qui me rebutent pour m'y entraîner et ne montrerai pas que l'on me blesse ou me fait de la peine.
- Je serai aimable, je soignerai mon apparence, je ne critiquerai sous aucun prétexte, je ne me fâcherai pas. Je n'essaierai de corriger que moi seul.
- Je m'accorderai chaque jour une demi-heure de détente et de paix. À cette occasion, j'essaierai de voir ma vie sous un jour meilleur. Je n'aurai pas de vaines appréhensions et n'aurai pas peur de jouir de ce qui est beau.

Grâce à ce programme Catherine a accepté que son histoire d'amour ne soit pas ce qu'elle avait rêvé. Elle a renoncé à changer la personne aimée. Elle a cessé de vouloir la forcer à accepter cet amour dont celui-ci ne voulait pas. Elle a appris à voir l'important en priorité. « Or l'important, c'est mon équilibre, mes enfants, ma santé, mon bonheur... » Appris aussi à agir sans précipitation (mots trop vite dits, reproches, coups de fil intempestifs...). Et appris enfin, à s'adapter à la réalité. Une réalité qui interdisait à ses sentiments de s'exprimer et à l'accepter. Une leçon de sagesse qu'elle garde en permanence sur elle dans son portefeuille, une leçon qui l'aide à aller chaque jour un peu mieux... et à tourner la page.

Cinquième partie

Le temps des (nouveaux) bonheurs

PUIS IL ARRIVE un moment où l'on peut enfin se dire « vive la rupture ! ». Un moment où après avoir tant pleuré, souffert, crié, désespéré… on peut se dire que le psy avait raison : « Un jour, vous le remercierez de vous avoir quitté. » Parce qu'on a retrouvé le goût de vivre. Parce qu'on s'est appuyé sur cette rupture pour ouvrir quantité de fenêtres, pour se trouver soi-même et… pour rencontrer plus tard l'amour vrai, c'est-à-dire un amour porteur et tendre qui offre dans sa corbeille ce que nous n'avions même jamais envisagé. Bien sûr vous avez tant « dégusté » que vous pouvez douter que le bonheur soit au coin de la rue. Il est vrai qu'il nécessite une condition : que vous ne cessiez de faire l'amalgame (si c'est le cas) entre l'homme ou la femme qui vous a rendu si malheureux et LES hommes, LES femmes. Que vous ne pensiez pas non plus que vous êtes si moche, si bête ou au-delà de la limite d'âge pour écrire une nouvelle page amoureuse de votre vie. Bref, l'arrivée d'un nouveau bonheur à deux suppose que vous restiez ouvert à l'autre, à la rencontre, que vous restiez souple aussi c'est-à-dire capable de renoncer à ce confort que vous avez découvert dans la vie en solo et surtout que vous gardiez l'espoir, l'optimisme, car les hasards de la vie nous offrent aussi de merveilleuses surprises. Vous en doutez ? Alors, lisez la suite…

20

Savourez votre indépendance…

Mais vous n'en êtes pas encore là… Vous en êtes encore à découvrir que vous pouvez vous passer de partenaire. Que l'amour n'est pas la seule raison de vivre. Qu'il en existe d'autres : le travail, les enfants, les amis, les loisirs mais surtout la vie elle-même et tout ce qu'elle offre de plaisirs et de joies. Si vous ne le savez pas encore, alors c'est le moment d'en prendre conscience. Il est grand temps de penser à vous. En lisant ces mots, certains n'aimeront pas cette perspective qu'ils jugeront « égoïste ». Pourtant elle prépare à vivre de bonnes et belles relations d'amour. Souvenez-vous que dans ces histoires où l'on donne trop, non seulement on perd de vue ses propres besoins mais on fait fuir : trop de dépendance, trop de fusion et puis… on détestera vous être redevable. Tous ceux qui en amour « se sacrifient » sont pesants. Eh bien, apprenons donc à devenir plus « légers » pour nous, pour l'autre, en suivant un salvateur mode d'emploi.

Qu'est-ce qui retient nos amoureux ? Ce que nous leur offrons d'amour, de soutien, de partage mais aussi ce que nous ne leur donnons pas. C'est-à-dire notre liberté de penser, notre liberté d'être. Ah ! Comme ils voudraient nous « posséder » tout entiers (et réciproquement). Mais nous nous dérobons. Nous tenons à exister dans l'amour ET par nous-mêmes… Voilà ce que vous diront ces hommes et ces femmes avec lesquels on peut passer toute une vie sans s'ennuyer, sans avoir l'impression qu'ils sont "acquis pour la vie". Car ils savent à la fois aimer, apporter une sécurité affective nécessaire tout en restant insaisissables. Au fond, on sent que si nous disparaissions de leur vie ils seraient d'un côté inconsolables et de l'autre tout à fait capables de vivre sans nous. Nous sommes précieux. Notre présence est leur plus grand plaisir mais ils n'ont pas besoin de nous au sens du manque, de ce que représente la drogue pour le toxicomane.

Se dire que le bien qui nous arrive ne dépend pas que d'un autre est merveilleusement libérateur.

L'indépendance est le secret de la séduction. Ce qui fait son mystère. Cette personne a une manière d'exister qui nous échappe, qui ne nous ressemble pas mais qui fait écho à ce que nous voudrions être, y compris parfois dans ses mauvais côtés. Elle est notre part d'ombre ou de lumière. On voudrait lui voler cette capacité à… être joyeux, si intelligent ou… si peu affectif, si insouciant, etc.

Bref, profitons de cette période en solo pour retrouver cette capacité à exister seuls, à trouver des activités, des habitudes qui nous réjouissent. Profitons-en pour faire nos preuves, pour nous rendre compte que nous n'avons besoin de personne pour avoir une vie riche en petites et grandes joies. Quand on demande à Pascale quels ont été les meilleurs moments de sa vie à deux, elle répond : « Rentrer chez nous, faire un plateau-repas, nous mettre au lit, regarder un film à la télé. » Et en solo ? Elle réfléchit : « Les mêmes, rentrer chez moi, faire un plateau-repas, me glisser dans mon lit, etc. » Cultivons ces plaisirs, cette capacité à goûter la vie qui sera aussi bénéfique en amour que précieuse à notre équilibre. Sophie en est convaincue : « La seule façon de se reconstruire est d'apprendre à exister par son propre regard et à trouver cela suffisant. Devenir autonome par rapport à la valeur que l'on s'accorde, par rapport à l'intérêt que la vie peut avoir pour nous : on ne doit pas laisser le pouvoir à l'autre de nous donner le sentiment d'exister. »

Le bonheur est en soi

Mais exister comment ? Par ce que nous sommes, par ce que nous faisons... Notre part de responsabilité dans l'art de cultiver (ou pas) les petites joies, est l'une des grandes découvertes d'Isabelle : « Je ruminais des idées morbides et puis j'ai commencé à m'intéresser au bouddhisme qui dit : « Le bonheur est en soi, il ne vient pas de l'extérieur. » Comme si notre vie n'était que notre perception des choses. Certaines personnes ont « tout » au sens où notre société l'entend : argent, époux, épouse, enfants… et se plaignent à longueur de journée de leurs deux ou trois kilos en trop, de leurs enfants « ratés » qui « végètent » à l'université tandis que d'autres, comme Daniel Picouly dans ses romans, raconte combien la vie était dure sur le plan matériel dans sa famille immigrée, pauvre et nombreuse mais combien elle était gaies.

… Et c'est maintenant

Qu'est-ce qui peut rendre heureux ? Savourer le plus petit moment présent, penser à tout ce que l'on a au lieu de penser à ce qui nous manque. Chaque soir, Pénélope savoure le simple fait « d'avoir un corps en bonne santé, d'avoir un toit et bien chaud dans mon lit ». Pour elle, chaque geste simple a une délicieuse saveur : « Retrouver une copine, rire, m'acheter une jolie robe, me regarder dans la glace et trouver que je ne suis pas si moche ni si vieille, ranger la maison, lire un bon livre, découvrir un grand film… » Et ce qui rend malheureux ? Unanimité sur la réponse : l'attente. L'attente du prince charmant ou de son pendant féminin (dont les hommes rêvent aussi). L'attente du bon, du bien, du chaud qui arrivera demain ou plus tard. Isabelle ne veut plus avoir du bonheur une idée futuriste et mégalomaniaque mâtinée de prince charmant, de couple idéal, d'amour à vie… qui nous plongent dans des quêtes impossibles, comme si l'idée du grand bonheur sapait notre aptitude à vivre ces petites et grandes joies qui, mises bout à bout, forment une vie réussie. Posez-vous cette question : qu'est-ce que j'aime dans la vie, avec éventuellement un crayon à la main pour en dresser la liste ? Vous verrez que vous aimez bien plus de choses que l'amour.

Ce qui rend malheureux aussi, c'est de penser quand tout va bien que ça ira mal tout à l'heure : « Oui, aujourd'hui il fait beau mais demain, on annonce du mauvais temps. » Commentaire d'Isabelle qui « a fini par apprendre à vivre : les gens loupent le bonheur parce qu'ils sont dans l'anticipation que cela va s'arrêter. » Si Gérard Lenorman reprenait aujourd'hui sa fameuse chanson *La ballade des gens heureux*, peut-être la résumerait-il ainsi : « Une chose après l'autre... » Là, je suis bien. Profitons-en, on verra demain.

PAS DE BONHEURS AU CONDITIONNEL

Guy Corneau, célèbre psychanalyste canadien et auteur à succès, suggère de ne pas vivre de bonheurs conditionnels. Le bonheur c'est ici et maintenant. Quelques pistes à suivre :

- Devenir un « goûteur de réalité ».
- Comme le suggèrent les philosophies orientales, cultiver l'acceptation.
- Il faut vivre dans l'à-côté, le presque ça, le à peu près... Rien n'est absolument idéal.
- Ne pas attendre la passion mais des petites choses.
- Jouir de ce que la vie nous donne et cette vie, notre vie, apprenons à l'aimer.
- C'est à nous de la rendre belle et intéressante.
- Éprouvons le sentiment d'être en harmonie avec notre vie, notre désir.
- Laissons-nous vivre, laissons nous être heureux. En général, l'être humain se préoccupe plus de ce qui le fait souffrir que de ce qui le satisfait.

→

- Chercher ce qui va apporter des satisfactions : activités (ou farniente) et manières de les pratiquer.
- Se concentrer sur des tâches concrètes de la vie.
- Retomber en enfance. Renouer avec ses anciens plaisirs : chanter à tue-tête, dire des bêtises, manger des bonbons, faire du vélo, nager, lire des BD...
- Ce qui nous fait envie est ce qui nous rend heureux.
- Et quand il y a un problème ? Soit il y a une solution et nous la trouverons. Soit il n'y en a pas et pourquoi s'en faire ?

Le goût des petites joies…

Et si le secret du bonheur était dans le goût des petites joies ? Si nous sommes restés longtemps dans une relation destructrice, si nous n'avons que des histoires d'amour pénibles, si nous n'arrivons pas à oublier notre ex-partenaire, si nous que nous avons perdu la capacité de nous réjouir ou que nous ne l'avons jamais eue. Alors, nous avons besoin de comprendre (avec l'aide éventuelle d'un psy) pourquoi nous sommes plus à l'aise (ce qui ne veut pas dire plus heureux) dans la souffrance que dans le plaisir ? Dans les complications que dans la simplicité ? Dans le mal-être que dans le bien-être ? La réponse se situe sans doute dans une enfance sans légèreté qui n'a su nous apprendre ni l'insouciance ni à savourer les activités simples du présent : le bonheur de s'activer, de faire avec soin des tâches simples, d'écouter les bruits de la campagne, d'aimer avoir un corps bien vivant, agile, musclé, d'apprécier sous la douche l'eau chaude couler le long de son visage et de son dos, de se donner du mal pour réussir un bon gâteau, pour souder deux tuyaux et d'avoir le plaisir du travail bien fait. Ou encore de se glisser dans son lit après une journée bien remplie, de sentir le poids de la couette sur son corps bien fatigué et de s'endormir tranquillement en pensant à la belle journée de demain…

Je suis devenue une autre femme…

Il y a les joies qu'on a toujours connues et celles que l'on découvre dans notre nouvelle vie. Comme elles sont nombreuses celles qui affirment (pas tout de suite mais deux mois ou deux ou cinq ans après la rupture) : « Je suis devenue une autre femme. » En le disant, elles pensent surtout qu'elles sont devenues elles-mêmes. Libérées d'un autre avec lequel il faut bon gré mal gré s'harmoniser pour que la vie à deux soit possible. Elles suivent surtout leur propre désir si bien qu'elles « s'éclatent ».

Jacqueline est une petite femme blonde d'une soixantaine d'années, débordante de vie qui n'a plus rien à voir avec la femme « soumise et mal fagotée qui suivait son mari partout parce qu'elle croyait que c'était ça un couple ». Aujourd'hui, elle a découvert l'immense bonheur d'être libre. Elle voit qui elle veut, quand elle veut. Elle regarde le film qui lui plaît, mange à l'heure qui lui convient : « Je ne faisais rien seule. On faisait tout à deux. J'étais calme, effacée. Je n'avais aucune envie particulière ; je suivais… Quand on a été soumise aux goûts, aux horaires, aux désirs de quelqu'un c'est une révolution. »

Et pourtant que la séparation a été difficile à vivre ! Plus personne à servir, plus personne à qui parler le soir… Elle se sentait « toute vide ». Mais peu à peu le vide s'est rempli d'un « plein bien à elle » et pour rien au monde elle ne reviendrait en arrière. Elle a perdu 26 kilos de pesanteur, s'habille en 40 quand elle achetait du 52 chez Rondissimo. Elle se maquille. La première chose qu'elle a faite quand son mari est parti, est d'aller chez le coiffeur : « Changez-moi tout ça ! Vous avez quartier libre. » Cette liberté inconnue jusqu'ici lui a procuré une allégresse formidable – qui ne l'empêchait nullement de pleurer sur son oreiller le temps de consoler son chagrin – car l'ivresse d'une vie à soi n'empêche pas les regrets de la vie à deux.

Je ne rêve plus du prince charmant ni même de la vie à deux car je sais que je ne serai plus jamais seule…

« Je ne connais rien au sexe, je suis une femme mariée » faisait dire Sacha Guitry à l'une de ses héroïnes. Une phrase qui serait reprise en chœur par nombre de femmes sexuellement libérées par la rupture et… par bien des hommes aussi. À moins qu'une sexualité torride ait été le ciment d'un couple sexuellement passionné mais quotidiennement incompatible. Bref, il arrive que l'on découvre ou redécouvre dans la rupture, les joies de la liberté sexuelle. Emma a aimé faire l'amour avec son mari qui était tendre et attentionné mais elle découvre aujourd'hui les hommes dans toute leur diversité, leur manière si différente de faire l'amour. Elle a parfois l'impression qu'elle n'en aura jamais fini d'explorer les joies « du bâton d'or », l'étonnant mystère du masculin, équivalent du mystère féminin. Elle découvre aussi la joie immense de faire constamment ses preuves sans avoir besoin d'un autre pour se réaliser.

Elle écrit, elle milite dans une association humanitaire, elle rencontre quantité de gens que son mari n'aurait pas appréciés mais dont elle est curieuse, presque avide car pour elle chaque personne est un continent qu'elle confronte au sien en s'étonnant des similitudes d'émotions, de sentiments, d'expériences qui se nichent au cœur de parcours pourtant si variés. Depuis qu'elle a découvert à quel point elle « aime les gens » elle se dit qu'entre ces rencontres d'amitié et ces expériences amoureuses, elle ne sera plus jamais seule.

Elle ne rêve plus du prince charmant, ni même de la vie à deux. Elle a trouvé son équilibre dans cette vie personnelle passionnante nourrie d'échanges multiples. Et puis, il y a le sport, un bonheur nouveau lui aussi qu'elle a découvert lorsqu'il fallait bien trouver un moyen de « se vider la tête », de fabriquer des endorphines autrement qu'en prenant des médicaments « qui lui font peur ». Depuis, elle aime courir, faire du vélo et nager presque tous les jours… Des activités qui l'inscrivent dans le moment présent, qui la recentrent sur elle-même et l'aident à chasser ses idées noires, quand elle en a, de plus en plus rarement. Pendant ce temps, son mari vit le syndrome de l'arroseur arrosé. C'est lui qui a voulu la quitter. Lui qui est parti pour une autre femme – qu'il ne voit plus beaucoup. Lui qui se retrouve seul et dérouté de voir que cette joie de vivre qu'il espérait pour lui, irradie sur elle. Amer peut-être, il s'étonne : « Mais qu'est-ce qu'elle a Emma ? Elle est rayonnante. On ne la reconnaît plus… »

21

Cultivez les belles relations, fuyez les autres !

Être indépendant est un incontestable atout mais peut-on se priver de la compagnie des autres sans en souffrir ? Très difficilement parce que nous sommes des êtres de relation. Parce que nous avons besoin de communication, de nous sentir appartenir à un groupe, de voir des gens, de nous entendre avec eux. Il ne s'agit pas de retrouver l'amour mais d'avoir une vie sociale dans laquelle nous puissions exprimer nos qualités humaines et relationnelles. Si nous avons appris quelque chose dans cette rupture, c'est que certaines personnes illuminent nos journées parce qu'elles nous apprécient, parce qu'elles nous permettent de donner le meilleur de nous-mêmes tandis que d'autres nous plombent, nous angoissent, nous abîment. Dans la période d'extrême vulnérabilité que nous venons de traverser, nous étions encore plus sensibles que d'habitude. Tant mieux, nous avons appris à connaître nos points de fragilité et à faire tourner nos gyrophares pour repérer les personnes bénéfiques et les gens à fuir…

Carine a retrouvé sa confiance en elle, tellement mise à mal par la violence des dénigrements, des accusations de son ex-mari, en se lançant dans des voyages humanitaires au Sénégal dont elle rentrait pleine de force. « Quand on a l'impression de ne plus servir à rien ni à personne puisqu'on vous a jetée, donner aux autres fait un bien fou. On retrouve le sentiment d'être bon et nécessaire. On se sent appartenir à une équipe, presqu'à une famille. Je ne connais pas de meilleur remède pour se reconstruire ni de meilleur moyen pour occuper des vacances qui, sinon, seraient déprimantes. Voir tous ces couples au soleil, avoir tout le loisir de cogiter sur sa pauvre condition de femme séduite et abandonnée… il n'est pas sûr que ce soit une bonne idée. Dans l'action, contrairement à ce que l'on pense, on réfléchit beaucoup. Et l'on comprend que c'est moins l'amour qui nous manque que le besoin de donner, de partager, d'être appréciée, reconnue. Et puis de voir tous ces gosses démunis si heureux de ce que vous leur apportez, remet les choses à leur place. Il y a le vital : avoir à manger, être en bonne santé, pouvoir apprendre… et le négligeable comparativement, à savoir ses peines de cœur, qui apparaissent alors comme un luxe pour nantis. »

ON VALORISE TROP LE COUPLE DANS NOTRE SOCIÉTÉ

Carine s'indigne. On nous fait croire que sans vie de couple on ne peut pas être heureux. La Saint-Valentin, l'astrologie du cœur dans les magazines féminins, les films d'amour, les séries cultes comme *Un gars une fille*... nous font croire que le célibat est une sorte de tare. On se dit qu'il y a en soi quelque chose qui ne va pas. Qu'on a un problème physique ou psychologique. On pense qu'on n'est pas une vraie femme ou un homme normal. Or ce qui ne va pas c'est peut-être notre vision de l'amour, de la vie à deux... Il existe des couples miraculeux qui passent toute une vie ensemble mais est-ce la majorité ? La plupart des gens vivent des périodes avec et des périodes sans. C'est devenu la norme. On s'aime, on fait un bout de chemin ensemble ; suit une période de vie en solo plus ou moins accompagnée. Puis on retrouve l'amour... Nous sommes quinze millions de célibataires en France et tous « anormaux » vraiment ?

Bien sûr que non. Ces périodes de vie en solo sont en général des périodes où l'on se protège, où l'on récupère des forces après une histoire d'amour qui a mal tourné. Une période pendant laquelle on réfléchit puisqu'on a mûri en se demandant ce qui est le mieux pour soi, là où nous en sommes. Parfois, le mieux consiste à retrouver ses marques dans une vie bien à soi. Nombre de célibataires affirment que le meilleur moment de leur journée est celui où ils rentrent chez eux, dans leur cocon. Là, ils se sentent en paix, en sécurité. Là, ils se sentent bien. Puis arrive le moment où à nouveau, ils ont envie de sortir, de rencontrer quelqu'un… mais en ayant tiré les leçons de leur passé amoureux.

Des leçons qui retentissent aussi sur leur vie amicale. Souvent, comme ils ont fait le ménage dans la maison, comme ils se sont débarrassés des souvenirs encombrants, des traces qui leur faisaient mal, ils « font le ménage » dans leur entourage. C'est l'un des contrecoups pénibles ou choisis de la rupture : en perdant son partenaire on perd aussi des amis, une famille qui étaient devenus les nôtres. Mais une fois encore, quand certaines portes se ferment, d'autres s'ouvrent.

Cet isolement post-matrimonial a obligé Pauline la timide à aller vers les autres : « Sinon, c'est sûr, je serais restée enfermée entre mes quatre murs. » Elle va aider les Restos du cœur. Elle commence à tchater sur Internet. Elle renoue avec des copines de lycée. « C'est comme ça que j'ai commencé à devenir plus sociable, à inviter chez moi, à proposer à des copines des soirées ciné, des visites d'expo… J'étais toujours sortie avec mon copain. On se connaissait depuis l'âge de seize ans. C'était lui qui faisait les relations publiques du couple. Il était sympa, drôle… tout ce que je ne suis pas. Il est vrai qu'il ramenait un peu n'importe qui, des gens que je n'appréciais pas forcément. Ça m'a fait plaisir de me faire des amis par moi-même et de les choisir à mon goût. »

Juste quelqu'un de bien.

À mon goût, c'est-à-dire ? Les critères changent après une rupture aussi bien sur le plan amical qu'amoureux.

D'ailleurs, ils se rejoignent. Sophie cherche « des gens bien » qui appliquent la devise de l'ancien ministre, écrivain, navigateur Jean-François Deniau : « Je dis ce que je fais et je fais ce que je dis. » Après avoir vécu une passion de six ans avec une anguille qui mentait sur ses actes (« Je ne couche qu'avec toi »), sur ses sentiments (« Je n'aime plus ma femme »), sur ses intentions (« Je vais divorcer et t'épouser »), elle ne veut plus rencontrer que des personnes honnêtes, fiables et franches. Dès que je sens que quelque chose n'est pas clair, que les réponses sont décalées ou que je n'en obtiens aucune, je coupe. Je sais maintenant que j'ai besoin d'avoir confiance. Je ne veux plus me poser toutes ces questions : mais qui est-il vraiment ? Qu'est-ce qu'on me cache ? C'est vrai ce qu'ils me racontent ? Je veux rencontrer des gens qui ont suffisamment confiance en eux pour être transparents et suffisamment confiance en moi pour me parler en toute intimité. Ça fait gagner beaucoup de temps ! »

Un autre nouveau critère auquel on est vigilant : la constance. Laurent ne peut plus supporter « les histoires compliquées du genre "tu m'aimes, je te fuis, tu me fuis, je te suis". C'est épuisant et sans intérêt. Je rêve d'une relation simple dans laquelle chacun donne le meilleur de lui-même en étant prêt à recevoir simplement l'amour et le désir… Je ne comprends pas les femmes qui jouent à ce jeu-là. C'est puéril et très vite je m'ennuie à leur courir après pour qu'elles me rejettent ou à les fuir pour qu'elles accourent. Si je sens des réticences, un pas en avant suivi de deux pas en arrière, je n'insiste pas. Merci, ravi de t'avoir connue et au revoir sans me retourner. J'ai déjà trop donné et surtout trop morflé ».

Petit récapitulatif des amis, des amoureux à fuir

Les pervers. Leur jeu principal : nous déstabiliser. Ils nous donnent sans cesse l'impression d'être en faute, de ne pas être à la hauteur. Ils nous « coincent » devant les autres en lançant des piques humiliantes et ne sont jamais là où on les attend. Un jour ils sont charmants, nous déclarent leur amour, leur amitié. Le lendemain, c'est à peine s'ils ont l'air de nous connaître... Pour comprendre l'incompréhensible, on s'accroche et on a tort. Ils se sentent bien quand nous nous sentons mal. On ressort de ces relations-là sans énergie ni confiance en soi. Fiez-vous à vos sens. Vous êtes fascinés peut-être mais mal à l'aise. N'hésitez pas, partez !

Les manipulateurs. Eux sont absolument charmants. Dès les premiers instants vous vous sentez adoptés, en confiance. Vous devenez rapidement l'un de leurs amis les plus chers jusqu'au moment où vous constatez que vous avez donné ce que vous ne vouliez pas donner, fait ce que vous ne vouliez pas faire, etc. On ne vous aime pas, on vous utilise ! De toute façon cette relation ne durera pas, ne s'améliorera pas... pourquoi insister ?

Les dominateurs. Homme ou femme, on les rencontre dans les deux camps. Avec eux, une alternative : vous soumettre en ayant le sentiment de ne pas exister, de ne pas avoir le droit à la différence ou réagir et enchaîner les crises de rivalité pour avoir le dessus puisqu'on cherche à vous écraser. Là encore, c'est stérile et épuisant.

Les malades. Ils sont alcooliques, dépressifs, joueurs... et vous êtes la gentillesse même. Vous aimeriez tellement les aider, les sortir de là, devenir leurs sauveurs.

On ne peut changer personne. À moins qu'ils n'aient décidé de se prendre eux-mêmes en charge. Auriez-vous quelque chose à réparer ?

Pourquoi ne pas s'entourer de gens aimables et aimants ? C'est-à-dire d'hommes et de femmes qui ont envie de nous voir pour nous faire du bien et réciproquement, de personnes avec lesquelles la discussion est facile, même quand nous ne sommes pas d'accord. De personnes fiables qui sont « toujours là », partantes pour passer un moment agréable en notre compagnie. Sophie a réalisé qu'elle ne se sentait exister que dans ce qu'elle appelle « l'amour souffrance ». Lui seul avait l'intensité de la passion ; mais à quoi est due cette « intensité » qu'elle recherche ? À la force de l'amour ? Non, à l'intensité des émotions qu'elle éprouve en compagnie de ces hommes qui risquent de la blesser, de l'abandonner… C'est le mélange de joie, de peur, de colère qui donne l'impression que « ça n'a jamais été aussi fort », et non l'amour lui-même qui est fait d'attirance, de confiance, de bien-être. Elle a réussi à se débarrasser du fantôme de l'amour idéal mais pas encore de son attirance pour les amants redoutables. Ce sont eux qui lui plaisent, eux qui la fascinent. Jusqu'à quand ?

Se libérer des croyances

Nous avons quantité de croyances sur l'amour. Elles sont héritées de l'enfance, de la façon dont on nous a aimés et dont on nous a demandé d'aimer. Dans certaines familles, par exemple, l'enfant est chargé de jouer le rôle du Sauveur. C'est lui qui sauve le couple, lui qui sauve de la dépression sa maman dont il est la raison de vivre, son papa qui boit trop, etc. Un rôle qui nous est familier et que nous pouvons reproduire dans nos amours. À moins que nous confondions amour et coup de foudre. Il faut que la rencontre soit une révélation : c'est elle, c'est lui ! Mais il existe quantité de belles relations qui commencent par une antipathie mutuelle ou par une indifférence réciproque parce que nous nous mettons des barrières ou parce que ce n'est pas le moment pour lui pour nous, ou encore par du copinage sans importance.

Ce qui n'a pas fonctionné dans cette relation nous aide à remettre en cause nos idées toutes faites, à mieux savoir nous protéger des gens qui appuient là où nous avons mal. Nos antennes nous disent mieux désormais si l'aventure est à tenter ou à abandonner tout de suite. « À la prochaine rencontre, je saurai qu'il est important d'être amis, dit Laura. Le coup de foudre n'est pas un gage de réussite. Je veux aussi un homme qui m'aime et qui me le dira… Un homme drôle. J'ai besoin de rire. Petite, je voulais être comique. Je ne peux plus supporter les dépressifs rabat-joie. Je ne veux plus m'embarquer avec un torturé. Spontanément, j'aime les hommes "pas simples". Il faut que je change ça ! »

Les trucs de Sophie

Pour savoir si c'est quelqu'un de bien, si on peut compter sur lui… j'ai un truc ou plutôt deux. Le premier c'est de bien regarder ce qu'il fait, comment il se comporte avec les uns et les autres. De m'attacher beaucoup plus aux actes qu'aux paroles. Les goujats, les méprisants, les snobs… je passe mon chemin. Avant, il suffisait que l'on me trouve belle, intelligente, pleine d'esprit pour que je succombe. Maintenant, j'attends de voir si les preuves suivent à savoir les gestes, les attentions et surtout la gentillesse.

→

Mon deuxième truc est de faire parler les hommes de leurs ex. Je ne me méfiais pas quand ils salissaient celles qui m'avaient précédée. Au contraire, c'était une sorte de défi : je me disais que j'allais les changer, que « moi » ils allaient m'aimer. Que je serai leur grand amour, voire le seul amour de leur vie. Je voulais être unique et bien meilleure que les autres. En fait, ils me traitaient comme ils avaient traité les autres, en machos ou en bons salauds qu'ils étaient. Je me souviens du dernier : il parlait de sa femme en des termes qui m'avaient mis les larmes aux yeux tellement c'était dégueulasse. Aujourd'hui, je n'ai plus envie d'aimer un type qui parle comme ça d'une de ses compagnes. D'autant que je ne vois pas pourquoi il n'en dirait pas autant de moi...

22

Faites confiance à la vie et à... l'amour

VOUS AVEZ RETROUVÉ une certaine confiance en vous. De ce point de vue, vous vous êtes reconstruits. Plus jamais vous ne laisserez quelqu'un remplir toute votre vie, tout votre espace mental. Vous veillerez à garder vos appuis amicaux, professionnels. Il ne sera plus jamais question de « tout donner ». Ni de compter sur le seul regard de votre partenaire pour vous sentir exister, pour vous trouver intéressant, valable. Vous ferez des choses par et pour vous-mêmes afin de vous répartir entre différents pôles qui créent un équilibre. Vous avez même appris à vous passer d'un homme ou d'une femme parce que vous avez renoué avec vos propres désirs. Maintenant, vous aimez disposer de votre temps, ne pas avoir à vous justifier pour faire ce que bon vous semble. Néanmoins, consciemment ou inconsciemment, vous rêvez toujours du bel amour avec le bien-être, les rires, la joie, la complicité qui font du bien. Mais êtes-vous prêts pour la rencontre… ou les retrouvailles (car il arrive qu'on renoue avec son ex-partenaire jamais vraiment oublié) ? Parfois vous pensez que oui. D'autres fois, vous désespérez. Ne baissez pas les bras ! Ce serait trop triste et trop… faux. Si la vie nous réserve de mauvaises surprises, elle nous en réserve de merveilleuses aussi. Qui que vous soyez, au moment où vous vous y attendez le moins, l'amour peut vous « tomber dessus ». Ouvrez-vous pour accueillir cette rencontre qui, en ce cas, ne manquera pas d'arriver. Retrouvez confiance en la vie et… en l'amour, telle est l'ultime étape.

Bien sûr, il y a encore un peu d'écho. L'amour est une question de moment. Il en est où nous ne sommes plus du tout disponibles : « De quoi avez-vous envie ? » demande sa psy à Sophie. « De rien ! » « C'est bon signe, répond la dame. Cela prouve que vous n'avez plus besoin de quelqu'un pour vous remplir. » Après une rupture, un deuil, quand nous avons des soucis plein la tête, l'amour n'est pas du tout notre priorité. D'ailleurs, on ne voit rien. Ni les hommes ni les femmes que nous tentons. Quand ils s'approchent, éventuellement nous griffons. Ou bien nous nous jetons dans leurs bras pour avoir un peu de tendresse mais sans s'attarder à la personne. Elle devient « utilitaire » pour le consommateur que nous sommes alors et qui n'a aucune envie d'éprouver des sentiments. Car les sentiments, nous venons d'en faire l'expérience, ont le terrible pouvoir de nous mettre à terre. À moins que nous décidions comme Ilan : « J'arrête les femmes ! » Trop compliqué. On veut avoir la paix et ne plus entendre parler d'amour. Quand sait-on que l'on est prêt ? Quand on ne voit plus LES hommes, LES femmes à travers le prisme de la trahison que l'on vient de subir et de la souffrance que l'on vient d'endurer. Quand on cesse de mettre tout le monde dans le même sac, un sac rempli de pervers, de maltraitants, de manipulateurs, d'instables, de grands malades, de phobiques de l'amour incapables de s'engager, de jaloux, de violents, d'infidèles qu'ils soient hommes ou femmes...

Il faut sortir du souvenir avant de retomber amoureux.

Puis il arrive éventuellement dans notre vie quelqu'un de patient, de gentil qui veut nous consoler. Difficile cette première relation sérieuse post-rupture car l'amour est devenu suspect. À moins que cette histoire suivante ne renvoie à la précédente qui lui colle à la peau. C'est surtout vrai quand on se précipite dans une histoire pour oublier la précédente. On veut trop vite tourner la page. Rien de mieux que de se précipiter dans d'autres bras et... dans la répétition des mêmes histoires. Gaspard, par exemple, constate qu'il agit « contre ses intérêts ». Depuis des années de vie amoureuse, il choisit des femmes qui ne peuvent pas lui convenir tout à fait : il ne les aime pas assez ou bien l'une est beaucoup plus jeune que lui, une autre habite trop loin, une autre encore lui demande une relation fusionnelle dans laquelle cet indépendant ne pourra pas tenir.

Jamais il ne prend le temps de s'arrêter et de se demander : allons, de quoi ai-je besoin ? D'où vient mon mal-être en général et pas seulement dans la relation ? Pourquoi faut-il toujours que je me rende décevant, que je sabote l'histoire pour être quitté ? Il n'a toujours pas fait le point sur ses choix, ses attitudes amoureuses… Sans ce travail auquel la rupture devrait nous contraindre, on retombe éternellement dans les mêmes histoires bancales, sous d'autres formes…

Sophie elle, s'est posé toutes les bonnes questions. Elle sait qu'elle appartient à la famille des co-dépendants qui se remplissent du regard de l'autre faute de s'apprécier eux-mêmes. Elle sait maintenant qu'elle est « une belle personne, une fille humainement impeccable ». Qu'elle sait être proche de ses amis. Bref, qu'elle a quantité de qualités qui la rendent aimable même si elle n'est pas aimée d'amour. Allégée de cette dépendance qui la rendait « fusionnelle, toujours en demande, toujours en crise pour savoir si on m'aimait vraiment, vraiment… ». Elle épuisait les amoureux qui ne la rassuraient jamais puisqu'en elle-même se situait le problème.

Problématique de la relation suivante

Bref, la voici « avec quelqu'un de très bien, il a envie de rire, d'être là mais quand il me dit "bonjour mon amour", je me dis glup's ! parce qu'il réveille mes blessures : l'autre me disait les mêmes mots, des mots que je n'arrive plus à croire parce qu'ils étaient dévoyés. Ou alors ce n'est pas de lui que j'ai envie de les entendre mais de mon ex que j'aime encore. J'ai tendance à ne pas le croire quand il dit qu'il m'aime, qu'il me trouve belle, intelligente, sexy… Tous ces mots me paraissent suspects parce qu'ils ont entretenu une relation pourrie. Je me sens pleine de doutes. Parfois, je pense en moi-même : « Si tu crois que je vais te croire ! » Et puis je ne peux pas m'empêcher de comparer les deux histoires. Comparativement, cet amour qui fonctionne bien n'est pas assez fort. Il n'a pas l'intensité du précédent. Là, je me rends compte que je ne suis pas guérie. L'amour paisible m'ennuie. Faut-il encore que je souffre pour avoir l'impression d'aimer ? Je lui donne une chance mais je crois que c'est un homme transitionnel, que ce n'est pas lui qu'il me faudrait. Il le sait, il prend le paquet, il est prêt à donner, il est patient. Il dit que ce n'est pas grave, qu'il attendra. Ce qui est douloureux aussi ? Tous les mauvais moments ressautent au visage. Le nouveau fait à dîner aux enfants. Je peux enfin leur dire, leur montrer que j'ai quelqu'un et que je l'embrasse et que oui, c'est sur la bouche alors qu'avant tout cela était caché. L'avantage est qu'avec ce gentil, on n'a pas envie d'être un bourreau puisqu'on vient d'être une victime. On peut donner le meilleur de soi. Je me rends compte que l'amour n'est pas forcément tordu, difficile et que je peux tout à fait vivre une relation normale avec un homme qui me rassure. »

J'AI PERDU LA CAPACITÉ D'AIMER…

Nous avons deux sortes de doutes après une rupture : y aura-t-il quelqu'un pour nous aimer ? Et serons-nous capables d'aimer à nouveau ? Cédric ne doute pas de plaire mais « Je suis incapable d'aimer, constate-t-il, les larmes aux yeux. J'ai perdu cette innocence qui me permettrait de me relancer dans une histoire de couple sans arrière-pensée. J'aime différemment, avec la tête, plus avec le cœur. C'est raisonné. J'ai perdu la naïveté de ne pas

→

avoir peur du lendemain, de ne pas faire de projection, de faire confiance à la vie, à la femme, à l'amour. Ma copine a un enfant, il va falloir que je supporte son môme, il va m'emmerder. Ça s'appelle raisonner. Ce qui était beau dans l'innocence, c'était d'être capable de tout. Je sais maintenant que la seule personne sur laquelle je peux compter, c'est moi. Jamais plus je ne remettrai ma vie entre les mains de quelqu'un d'autre. Je ne suis pas désabusé, je suis lucide. Je ne veux pas me sentir lié. Désormais, je ne construis que pour moi-même. Toutes ces grandes choses : l'amour, la famille ont fabriqué de grands désordres. Je suis devenu fragile. Je ne mettrai plus ma tête sur le billot sur la seule foi du sentiment qui est si volatil, si peu quantifiable, dont on n'a pas les clefs. Je me vois vivre tout seul toute ma vie. Qu'est-ce qui est important pour moi ? Que mes enfants m'aiment et vise versa. D'être en bonne santé, de baiser de temps en temps et c'est tout... ».

« La vie est audacieuse ou alors, elle n'est rien. »
Helen Keller

Cédric a peur... Il pense l'amour en fonction de ses blessures passées. Tant qu'on en est là, on se ferme. Marie Lise Labonté, psychothérapeute canadienne auteur de *L'amour vrai*, suggère de ne pas penser l'amour du point de vue de ses blessures.

De donner cet amour à la partie de soi qui tremble. De reconnaître, là tu as peur. De prendre conscience qu'un cœur fermé est un cœur apeuré. Il s'agit de rassurer cet endroit où la confiance est brisée (trahison, abandon...) avec la bienveillance d'un bon père, d'une bonne mère pour soi. Nous nous fermons quand nous sommes traumatisés par l'amour alors assimilé à une menace.

Ce que l'on sait de l'amour après une rupture ? Sa blessure. Alors qu'il relève de l'inconnu. On ne sait jamais ce qu'il nous réserve. C'est à chaque fois une invention, une création. Alors, oui, nous ne revivrons jamais le même amour, avec le même état d'esprit, l'innocence dont Cédric entretient la nostalgie mais nous en vivrons d'autres, différents, surprenants, totalement nouveaux. Bernard n'aimera plus jamais comme il a aimé à 20 ans, en pensant qu'il était marié « pour la vie ». Il n'aimera plus « en toute innocence » mais autrement et que c'est bon ! « Aujourd'hui, je suis avec une veuve depuis quatre ans et c'est l'idéal. On ne partage que les bonnes choses. On pourrait se voir plus souvent mais on a des choses à faire. Un homme ne rentrerait pas dans son planning. J'alterne la vie à Paris (où j'habite), à Clamecy en Bourgogne (où elle travaille) et à Toulouse où elle a une petite maison. C'est elle que j'ai le plus aimée parce que c'est la plus récente et que je l'ai dans la tête. Et puis nous avons tous les deux vécu. Il y a une sagesse, une tolérance, pas d'exigence. Elle aime le sexe. Il n'y a pas de faux semblant, on n'est pas obligé de tout se raconter. C'est une femme super toujours partante pour tout : la vie, l'amour, les rires ! Cette femme qu'on aime, on la redécouvre tout le temps. J'ai sans cesse envie de la prendre en photo parce qu'elle n'est jamais la même. Et de lui faire l'amour car ce n'est pas bestial, c'est un régal. » Pour vivre cette belle histoire, Bernard s'est appuyé sur la partie saine en lui qui n'était pas blessée, pas déçue, sur son corps, son sexe, son regard qui savaient encore aimer.

Continuer d'y croire...

Lou se fait très bien à l'idée qu'elle n'aura plus d'homme dans sa vie. Elle n'a pourtant que 35 ans mais elle se dit qu'elle est très bien seule. Ses projets sont ailleurs, elle veut s'acheter une maison et la modeler à son goût, elle qui sait bricoler « bien mieux que tous les hommes que j'ai rencontrés. » Ce qui lui aurait manqué, dit-elle, c'est de ne pas avoir d'enfant. Or, elle a ses deux filles qui lui apportent toute la tendresse du monde. Comme elle a besoin d'être touchée, de sentir qu'elle a un corps, elle pratique intensément la natation et se fait faire des massages qui l'ont « aidée à se reconstruire : quand on a mal, on a besoin d'être caressée comme un bébé ». Ainsi, elle pourrait supporter de rester seule jusqu'à la fin de ses jours. Le sexe ? Il suffit de ne pas y penser... Plus question en tout cas, de retomber dans une histoire difficile. Elle a pris goût à sa liberté mais... et elle a raison, elle ne veut pas renoncer au rêve du « toujours possible ». Alors elle écoute des chansons d'amour, lit des livres, regarde des films comme *Out of Africa, Sur la route de Madison, Pretty Woman* pour continuer d'espérer en une belle histoire qui peut-être un jour lui arrivera... Croire encore aux contes de fées, au coup de foudre, ça réchauffe le cœur. J'aime garder l'espoir en me disant que si l'amour n'arrive pas, je n'en mourrai pas puisque je prends du plaisir à ma vie en solo mais que, s'il arrive, ce sera une cerise sur mon joli gâteau. »

Accepter de semer sans savoir si l'autre va s'ouvrir ou se fermer...

Autrement dit, elle s'en passe mais elle se tient prête. Quand elle sort, elle est toujours jolie, attirante. Elle ne cherche pas mais elle trouvera peut-être. Elle est ouverte à la rencontre. Elle se dit que le hasard peut bien faire les choses. Souvent, on se croit disponible mais en étant toutes griffes dehors, le gilet fermé, le jugement prêt à égratigner la première personne qui se présente : trop petit, trop vieux, mal habillé, vulgaire, trop moche, pas du tout mon genre, etc. On s'enfuit en restant sur ses idées toutes faites sans chercher à connaître mieux. En fait, on est certain de chercher un homme, une femme quand on se leurre en pensant que l'on fait « tout ce qu'il faut » mais que, décidément, personne n'est à notre goût.

« Aimer, dit Marie Lise Labonté, c'est accepter de semer sans savoir si l'autre va s'ouvrir ou se fermer. » Elle insiste sur le fait que l'amour ne se donne pas, qu'il ne se cherche pas, qu'il émane de certaines personnes que l'on juge « rayonnantes ». Voilà ce qui fait le charisme. Angela en déborde parce qu'elle se sent toujours prête à accueillir et à aimer ceux qui la croisent. Son ouverture à la relation fait tout son charme… et sa bienveillance aussi et son côté si positif. Elle s'apprécie autant qu'elle apprécie les autres. Elle pardonne les défauts, les manques : elle-même ne se sent pas parfaite. Juste humaine. Comme nous tous.

Conclusion

VOUS AVEZ TOUTES les raisons d'être fiers de vous ! Il faut du courage pour remonter la pente et vous en avez eu. Du courage pour ne pas faire souffrir les enfants et vous l'avez fait. Du courage pour ne pas vous venger. Vous ne vous êtes pas livrés à ces bassesses auxquelles vous avez peut-être pensé. Il se peut même que vous ayez continué d'aimer malgré tout le mal que l'on vous avait fait. Parfois, vous avez été jusqu'à comprendre les raisons de l'autre, jusqu'à admettre que l'on puisse tomber amoureux d'un autre homme, d'une autre femme. Jusqu'à accepter que votre partenaire ait voulu changer de vie ou qu'il était trop mal, trop dépressif pour vivre sereinement l'histoire d'amour que vous lui proposiez. Vous avez su également vous mettre en cause, comprendre où vous aviez failli. Non pas pour vous flageller mais au contraire pour vous pardonner : vous avez fait comme vous avez pu pour aimer le mieux possible avec vos limites. Mais vous êtes allés au bout de cet amour, vous avez su lui donner toutes ses chances.

Vous vous êtes aussi appuyés sur cette souffrance pour vous poser des questions essentielles : qu'est-ce qui me fait du bien ? Qui suis-je vraiment ? Pour quelle vie suis-je fait ? Ce n'est pas forcément celle qu'on m'a appris à vouloir. Quelle est celle qui me va ? Est-ce une vie de solitude ? Une vie sans engagement pour l'instant… Dans cette épreuve, vous avez appris à devenir vous-mêmes, à savoir demander de l'aide mais aussi à vous en passer.

Voilà pourquoi, si vous avez fait tout ce travail difficile mais si bénéfique, vous ne répéterez pas ces histoires qui font souffrir. Vous saurez partir à temps ou supporter d'être quittés parce que c'est la vie. Stéphanie se félicite que ses amours – et ses ruptures successives – l'aient mise « sur le chemin de moi-même ». Elle peut chanter maintenant comme Édith Piaf : « Non, rien de rien, non je ne regrette rien ni le mal qu'on m'a fait… tout ça m'est bien égal… », parce qu'elle avance toujours, qu'elle soit seule ou accompagnée.

Et puis il y a ces beaux hasards de la vie faisant qu'une rupture dont on a cru mourir a conduit à un amour heureux. « S'il ne m'avait pas quittée, je n'aurais jamais rencontré Chéri… » Ils sont nombreux à dire que ce drame a conduit au bonheur. Oui, parfois on vit des amours Kleenex : aimé un jour, jeté le lendemain. Notre époque a ceci de terrible que les séparations sont devenues banales. Mais son joli revers de médaille est qu'à tout âge, on peut espérer vivre de belles histoires. C'est Émilie, 40 ans, qui s'est laissé grossir, qui a renoncé à avoir des enfants et le père qui va avec mais qui, sans trop y croire, s'inscrit sur un site de rencontres et trouve l'homme de sa vie. Comme elle, il est pressé de faire des bébés. Aujourd'hui, ils ont des jumeaux magnifiques. Tout est allé si vite que personne ne pariait sur leur couple. Et pourtant, six ans plus tard, ils sont toujours ensemble, heureux en couple et en famille. Il y a aussi ceux qui inventent le couple à leur façon. Chacun vit de son côté. Ils se retrouvent pour le plaisir seulement. Et ceux qui se découvrent. Oui, ils n'aiment pas comme les autres. Ils découvrent à l'occasion d'une rupture que l'homosexualité est leur voie…

Et puis il y a les ex, ceux que l'on n'oublie jamais tout à fait lorsqu'ils ont été un grand amour. Eux aussi parfois se retrouvent. À ce stade du livre, on peut enfin l'écrire. Si chacun a réfléchi, mûri, connu d'autres expériences amoureuses pendant cette coupure nécessaire, il se peut qu'ils se retrouvent pour s'apercevoir qu'ils ont changé, mûri mais que leurs sentiments sont intacts et que leurs cœurs battent toujours aussi fort. Telle qu'elle était, la relation n'était pas viable. Trop de peurs, trop de crises, trop d'exigences, trop de passion. Aujourd'hui, guéris de leurs angoisses, plus forts, plus indépendants, moins en demande, ils peuvent analyser ensemble les erreurs de leur premier couple pour en construire un second, différent, plus solide et plus heureux…

L'amour est une aventure imprévisible. La vie est une inconnue. On ne sait rien de ce qu'elle nous réserve. Certains coups durs s'avèrent des mois, des années plus tard, de véritables coups de chance ! Et si nous la laissions faire sans vouloir maîtriser ces éternels mystères que sont nos partenaires, nos sentiments, les leurs…

La seule personne que nous puissions changer c'est nous et nous l'avons fait au cours de cette douloureuse, laborieuse, joyeuse reconstruction. Au point où nous en sommes aujourd'hui, profitons du bon que chaque jour nous apporte et laissons faire la vie avec confiance. Qui sait si un jour nous ne pourrons pas dire comme Sophie : « Oui, maintenant je peux lui dire merci de m'avoir quittée… »

Bibliographie

Francesco Alberoni, *Je t'aime*, Pocket, 1996.

Catherine Bensaïd, *Aime-toi, la vie t'aimera*, Pocket, 1992.

Serge Chaumier, *La déliaison amoureuse*, Petite bibliothèque Payot, 2004.

Guy Corneau, *La guérison du cœur*, J'ai lu, 2000.

Patricia Delahaie, *Ces amours qui nous font mal*, Marabout 2001.

Dr Christophe Fauré, *Le couple brisé*, Albin Michel, 2002.

Isabelle Filliozat, *Que se passe-t-il en moi ?*, Marabout, 2001.

Rhonfa Findling, *Quand c'est fini, c'est fini !*, Jean-Claude Gawsewitch éditeur, 2007.

Bruce Fisher, *Après la rupture*, Inter Éditions, 2005.

Delphine Hirsh, *Rupture. Petit guide de survie*, Marabout, 2003.

Marie Lise Labonté, *Vers l'amour vrai*, Albin Michel, 2007.

Franco La Cecla, *Je te quitte, moi non plus*, Calmann-Lévy, 2004.

Arouna Lipschitz, *La voie de l'amoureux*, Pocket, 2006.

Susanna Mc Mahon, *Le psy de poche*, Marabout, 1995.

Juan-David Nasio, *Le livre de la douleur et de l'amour*, Petite bibliothèque Payot, 2003.

Robin Norwood, *Ces femmes qui aiment trop*, tomes 1 et 2, J'ai lu, 1985.

Table des matières

DU MÊME AUTEUR, AUX ÉDITIONS LEDUC.S

Comment plaire en 3 minutes

Oui, tout se joue en 3 minutes ! Lors d'une nouvelle rencontre, c'est la première impression qui compte le plus ! Bonne ou mauvaise… Les premiers mots, la voix, la poignée de main, le regard, la façon de se tenir. Que les plus timides se rassurent : il existe des trucs, des techniques qui ont fait leurs preuves. Vous ne les oublierez plus.

Parution en poche en novembre 2010

Prix : 5,90 euros

Format : 11 x 17,8 cm

Pages : 256

ISBN : 978-2-84899-417-8

Pour recevoir notre catalogue, merci de bien vouloir photocopier, recopier ou découper ce formulaire et nous le retourner complété à :

Éditions Leduc.s
17 rue du Regard
75006 Paris

Vous pouvez aussi répondre au formulaire disponible sur Internet :

www.leduc-s.com

NOM : ....

PRÉNOM : ....

ADRESSE : ....

....

CODE POSTAL : ....

VILLE : ....

PAYS : ....

ADRESSE@MAIL : ....

ÂGE : ....

PROFESSION : ....

Titre de l'ouvrage dans lequel est insérée cette page :

Comment guérir du mal d'amour

Lieu d'achat : ....

Avez-vous une suggestion à nous faire ?

....

....

....

À .... LE ....

Achevé d'imprimer en Espagne par
Litografia ROSÉS
Gavà (08850)
Dépôt légal : août 2010